Know and go to the World.
10 years later,
you are the future of Japan.

未来をひらく
「13歳からの国際情勢」

10年後、僕たち日本は生き残れるか

石田和靖 Ishida kazuyasu

KADOKAWA

本書を13歳になる我が息子に捧げる。
行動力のある大人になってくれることを願って。

はじめに

これからの世界を生き抜くために必要なこと

いまから約100年前に、世界では何が起こっていたか？

1918年に終戦した第一次世界大戦によって、翌年にヴェルサイユ条約が結ばれ、ドイツは過酷な賠償金を課されることになりました。1922年にはソ連（ソビエト連邦）が成立し、歴史上初の社会主義国家が誕生したことにより、列強と呼ばれる西側諸国は新たな戦争に向けて動き出すことになります。

また、1918年から1920年にかけてはスペイン風邪が世界的に大流行し、世界はパンデミックに見舞われました。そして、1929年に世界恐慌（大恐慌）が始まり、資本主義経済は大きな打撃を受け、世界は暗澹《あんたん》たる時代へと突入します。

なんだか、１００年前の出来事だとは思えませんよね。

僕たちも新型コロナウィルスによってパンデミックを経験したし、ロシアとウクライナ、イスラエルとハマス、大きな国が戦争を開始することが増えています。急激に物価は高くなって、生活の足元はおぼつかない。まともな政治家は少なくて、自分たちの都合のいいことしか実行しない。不安が先行し、「このままで大丈夫なのか?」、そんなことを思う人がきっとたくさんいるのではないかと思います。


僕は、長く中東・東南アジア地域のビジネス、文化事業に携わってきた経験をもとに、テレビやラジオ出演、講演、ＳＮＳ投稿、書籍の出版などを通じ、現地の生の情報を発信してきました。

現在主宰《しゅさい》するYouTubeチャンネル「越境3・0チャンネル」では、毎日夜の8時に最新の国際情勢の解説を行い、ありがたいことに20万人を超える皆さんに登録していただいています。僕らが目にするニュースのなかには、意図的に印象操作をするものもあります。そのため僕は、YouTubeというメディアを使って、実際に僕が見てきたこと、要人から話を聞いてきたことなど世界でどんなことが起きているのか、〝本当〟の国際情勢を伝えています。１人でも多くの人にとって、これからの世界を生き抜くヒントになってくれたら。そうした思いから情報を発信していきます。

いま世界は大きく変わろうとしている

この本のタイトルは、『10年後、僕たち日本は生き残れるか』です。本当に、そう思うんです。

僕には13歳になる息子がいます。

彼が成人して、社会人になったとき、日本はどうなっているんだろうと想像することがあります。何度想像しても、いつもどんよりした気持ちになります。なぜなら、このままでは日本は生き残れないからです。そう「このまま」では。

未来をひらくためには、何が起きているかを知らなければいけません。周りで何が起きているかを知れば、対策や備えといったことが可能になります。

読者の皆さんのなかにも、「いつ大地震が来るか分からないから、防災セットや備蓄食料などの避難セットを準備している」という方が少なくないと思います。いつ来るか分からないけど、日本は地震大国で、これまでに何度も大地震があった。

だから、皆さんは防災セットや避難セットの重要性を理解している。同じ地震は起こらないけれど、同じような地震は何度も起こる——。

ドイツの鉄血宰相と呼ばれたオットー・フォン・ビスマルクの言葉に、「愚者は経験に学び、賢者は歴史に学ぶ」というものがあります。

同じ道を歩むことはないけれど、まるでらせん階段のように階層を変えて、世界もぐるぐると回っています。100年前の出来事に、なんだかシンパシーを感じてしまうのは気のせいじゃない。だから、何が起こるのかを予測して準備をしなければいけません。国際情勢を知ることは、明日への備えです。世界の動向を知ることは、未来に何が起こりうるかを先読みするチカラになります。

この本では、いま世界では何が起きているのか、そして日本と日本人が取るべき態度について解説していきます。国際情勢と聞くと、まるでこんがらがった糸のように複雑に思えます。ですが、いくつかのポイントさえ理解できれば紐解《ひもと》きやすくなります。

皆さんは、世界のリーダーはアメリカだと考えていると思います。でも、その状況は変わりつつあります。どうしてそうなってきているのか？　それはアメリカをはじめとした西側諸国の対応――ロシアとウクライナの戦争に際しドルを武器化したことで、その他の国々が反意を示し始めたから。

特に、第三世界と呼ばれる国々は、明確な反アメリカの態度を取り始め、その急先鋒にいるのが豊富なエネルギー資源を持つ中東の国々です。中東は、欧米から搾取され続けてきたという歴史を持ちます。その立場が、いままさにひっくり返ろうとしている。

日本はアメリカと同盟を結ぶ国です。そのため、いままではずっとアメリカの味方……と言えば聞こえはいいけれど、顔色をうかがいながら政治も経済も進めてきました。でも、状況が変わろうとしているいま、僕たち日本が本当に取るべき態度は何なのか。この点を考えていけば、世界と日本の現在地は分かります。

それぞれ、各章ごとに詳しく触れていきます。

知らないことは恥ずかしいことじゃない

知らないことは恥ずかしいことといった風潮がありますが、僕はそうは思いません。知ろうとする姿勢が大切なんです。その気持ちがあれば、いくつになっても学んでいける。むしろ、真っ白なキャンバスのほうが、自分の好きなようにデザインできますよね。

ですから、この本では自分の息子に伝えるような気持ちで、できるだけ難しい話にしないように分かりやすく説明していければと思っています。

10年後、僕の息子は23歳になっています。これから日本の未来をつくっていく若い世代が大人になったとき、この国に生まれたことを嘆くような国になってほしくない。なっていてはいけませんよね。

若い世代が前を向けるように、そして日本のこれからを憂いて、何かをしたいと思っている人たちに、この本が届いてくれたら幸いです。そんな気持ちを持っている人たちは何歳であろうと、日本の〝新世代〟だと僕は思っています。

10年後、僕たち日本が生き残るために——。その第一歩は、いま世界で何が起きているかを知ることから始まります。

10年後、僕たち日本は生き残れるか
未来をひらく「13歳からの国際情勢」

目次

第3章

「イスラム教は怖い」ってあなたの感想ですよね？

第4章

いい人ぶってるグローバリズムに騙されるな！

第1章

中東を見れば「世界の変化」がひと目で分かる

01 未来は自分次第で変えられる・その①

最初はみんな、何者でもありません。

いまでこそ僕は、国際情勢YouTuberとしてさまざまな活動をしているけど、もとをたどれば会計事務所で働く普通のサラリーマンでした。大学の偉い教授でもなければ、めちゃくちゃ世界史が得意な優秀な学生でもありませんでした。どうして僕が国際情勢に詳しくなったのか、自己紹介だと思って読んでください。

大学時代、僕はバンド活動に明け暮れるバンドマンでした。ロングヘアーをなびかせ、将来は音楽でご飯を食べていく、そんな淡い夢を抱いていました。情けない話、勉強を一生懸命していたわけではなかったから留年することになり、そのまま大学は辞めてしまいました。

その頃、母親が体調を崩し、「髪の毛をきちんとして、しっかりした仕事をしてほしい」と懇願されました。生気《せいき》のない母親の姿を見て、親孝行ではないけれどしっかりとした仕事に就くことが励ましにもなると考えた僕はバンドを辞め、会計事務所に就職します。

会計事務所を選んだのは、税金の計算や会社経営のアドバイスをする……そんな業務が「しっかりした仕事」に見えたから。正直なところ、母親を安心させるためだけに選んだ職業だったんですね。

思いつきで始めた仕事でしたから、会計の「か」の字も分かりません。会計士、税理士がどんな仕事をするのかも、入社してから初めて知るような無知な若者だった僕は、税理を学べる専門学校へ自費で通いながら、少しずつ会計事務所の仕事を覚えていくようになりました。はっきり言って、足手まとい。なんとか食らいついてサポートをする毎日でした。

新米だった僕は仕事を選べません。もっと言えば、会計事務所のなかで、ほかの税理士がやりたくない仕事が、僕のところに回ってくる。「おい、石田。これ頼むよ」なんて調子で仕事を振られる。その1つに、中東や東南アジアの外国人が経営するお店の会計がありました。

しかも、ただの外国人経営者ではありません。うっかり日本に滞在するためのビザの更新を忘れてしまい、過去、不法滞在として入国管理事務所に一時的に拘留《こうりゅう》されていた経験を持つ外国人たち。そのまま何もしなければ母国に強制送還されてしまうので、彼らはビザを更新したい。そのための1つの手段が、有限会社（当時）をつくって、投資系ビザを取るということでした。

有限会社は当時、最低資本金300万円あれば設立できました。拘留されている外国人たちは、母国からお金を送ってもらい会社をつくる。その際に投資系ビザが発行され、3年間黒字を出し、税金をきちんと支払うとまた更新ができる。外国人たちはビザを更新するために行政書士にお金を支払い会社をつくり、そしてきちんと税金を納めるために会計事務所にサポートしてもらう。そのサポートを僕がすることになったというわけです。

経営者と言っても、日本で会社経営をしたことがない外国人です。ひと癖もふた癖もある。しかも、うっかりとはいえ、一時的に拘留されてしまうような〝アバウト〟な人たちです。たしかに、ほかの税理士が敬遠するのも納得ですよね。

でも、僕は選べる立場にないからやるしかない。行政書士から、「ムハンマドさんという方が会社をつくったので、石田さん、面倒を見てくれないか」と定期的に紹介される。いま思い出しても、胃に穴が開くような毎日で（実際にストレスから帯状疱疹《たいじょうほうしん》になりました）、とても大変でした。

ですが、会計的なことはもちろんのこと、場合によってはそばの食べ方から電車の乗り換えの方法まで教えるほど交流が深くなっていく。イラン人だったらイラン人、パキスタン人だったらパキスタン人という具合に、彼らには母国のネットワークがある。そのなかでトレンドになっていることを、「石田さんにはいつも世話になっているから」とよしみで教えてくれることが珍しくなかったんです。

その縁で、僕は中東や東南アジアを中心とした国々でどんなことが流行《はや》り、何が求められているのかを知るようになっていきました。当事者から聞くリアルな一次情報は、メディアから聞こえてくる情報とは比べものにならないくらい生々しく、「面白い！」と思えるものばかりでした。

気がつくと、僕は「**自分の目で見てみたい**」という思いに駆られ、世界を見て回るようになっていました。

02 未来は自分次第で変えられる・その②

有限会社を設立した外国人たちは、飲食店をはじめ多岐にわたる事業を展開していました。そのなかで、比較的つくりやすい会社が、中古車販売に関する会社でした。

当時は、日本車の存在感はまだまだ健在。外国で日本車を欲しがる人はたくさんいたため、彼らは独自のネットワークを生かして輸出していたというわけです。携帯電話とパソコンさえあれば始められるという手軽さも人気の秘訣《ひけつ》だったようです。

と言っても、違法なことはせず、きちんとした経路で日本の中古車を購入していたのでご安心を。

一方で、やっぱりアバウトな性格の外国人が多かったことも事実でした。

いいと思った車はすぐに購入し、売りさばく。

記録をきちんと残しておかないことも珍しくなかったので、いつも僕は「それじゃ困るんですよ」となかば説教のように説明していました。書類の提出し忘れで、追徴《ついちょう》課税を受けた外国人経営者をいったい何人見てきたことか……。

そこで僕は、日付、車種、購入価格、車体番号、輸出する際の申告価格、輸出先の港などなど、すべて記録できるエクセルをつくり、担当している外国人経営者に渡しました。「今後はこれに漏らさず記入していってください」。そう伝えると、さすがに彼らも真面目に僕に提出するようになりました。

輸出先の港を見ると、アルゼンチンやタンザニア、ケニア、トリニダード・トバゴ、なかには聞いたこともないようなカリブ海の小さな島にも日本車が輸出されていることが分かりました。その表を見ているだけで、なんだか旅行をした気分になる。仕事のなかのささやかな楽しみになっていたと言えるかもしれません。

ある日、いつものようにエクセルを見ていると、輸出先の港が一変していることに気がつきました。**僕が担当している会社のほとんどが、アラブ首長国連邦（UAE）のドバイに輸出している。**少し前までは、いろいろな国に運ばれていたのに、ほとんどドバイに変わっていたんですね。当時、僕は40社近い中古車販売会社を担当していましたが、ある時期を境に、ほぼ一斉にドバイにシフトチェンジしていた。

僕は驚いて、1人の外国人経営者に、「どうしてドバイが人気なの？」と聞きました。

すると彼は、「いま、ドバイはすごいことになっている。エコノミックフリーゾーンと呼ばれる経済特区ができて、中古車の搬入も搬出も一律関税5％（当時。関税とは輸出入のときにかかる税金）なんだ。車を欲しがる人もわざわざドバイに来て買うほどで、まるで中古車販売の博覧会のようだよ。中古車だけじゃない。あらゆるものがドバイに集まるようになってきているんだ」と教えてくれました。

その話を聞いた僕は、何が起きているのか実際に見てみたくて、初めてドバイへ行ってみました。1990年代の終わりくらいの出来事です。

いまのように観光地化する以前のドバイは、砂塵《さじん》が舞う、なんの変哲もない荒野が広がる街でした。しかし、いたるところで工事が行われ、何百では数えられないほどのクレーンが林立していたのです。その光景は、この街が近い将来、世界の話題を集めることを確信させるのに十分なほどのインパクトを持っていました。

数十年前では考えられないほど進化したドバイのいまの姿。

その後、僕は数えきれないほどドバイを訪問します。そして、ドバイは世界屈指の街へと発展を遂げ、その成長をずっと見てきました。いまドバイは、こんな宣言を公式にアナウンスしています。

「**2033年までに、ドバイの経済規模を2倍にし、世界のトップ3の都市の地位を固めることを目的とする**」

10年後、ドバイはニューヨーク、ロンドンに肩を並べるという明確なヴィジョンを掲げ、国民を豊かにするとうたっているんですね。

ヴィジョンがあるか、ないか。その差は、未来を大きく変えます。

僕は普通のサラリーマンでした。だけど、激変していく世界を見て、２００３年に会計事務所を離職し、自分で会社を立ち上げました。ドバイを見て、自分が何をしたいのか、そのヴィジョンが明確になったからです。

そして、このヴィジョンにたどり着けたのは、ほかの税理士がやりたくない仕事をしていたからでもあるんですね。

いま自分がしていることに無駄なことなんてありません。経験は必ず未来をひらく肥料になります。大切なことは、どんなヴィジョンを持つかです。

心理学者、哲学者のウィリアム・ジェイムズは、「心が変われば行動が変わる。行動が変われば習慣が変わる。習慣が変われば人格が変わる。人格が変われば運命が変わる」という言葉を残しています。

心を変えるためには、ヴィジョンが必要です。その姿勢が、いろいろな人との出会いや経験をもたらし、自分の世界を広げてくれるんです。

03 世界を知ったぶんだけ生きる選択肢が広がる

僕は、「越境3・0チャンネル」というYouTubeチャンネルを主宰し、中東を中心に世界の情報を発信しています。日本人なのに、どうして日本のことではなく、世界のことを発信しているの?

そう疑問に思う人もいるかもしれません。

日本に暮らしているのだから、日本のおいしい食べ物や、日本経済の情報を伝えたほうが、たくさんの人が関心を示してくれそうですよね。

でも、ちょっと想像してみてほしいんです。

キミが暮らしているAという町があるとする。A町に関するおいしい飲食店やお得なスーパーの情報は、キミにとってとてもお得で助かるかもしれません。でも、実は隣のBという町にはもっと安かったり、便利だったり、自分の生活の質を上げてくれる商品を売っているスーパーがある。Aという町のことしか知らない人は、どんなにB町にお得な情報があったとしても、A町でしか買い物をしません。なぜなら、B町の情報を知らないからです。

これを、そのままAを日本に置き換えたらどうなるでしょう？

日本は、世界196カ国の1つの国にすぎません（2024年6月時点）。1つのことだけに注意を払っていても、周囲の状況を理解していないと、井の中の蛙《かわず》になってしまう。それって僕は、選択肢を狭めてしまうことにつながると思うんです。だって、B町に行けばもっと安く買えたのに、A町で買ってしまうんですよ？

2つ選択肢があって比較できるケースと、1つしか選択肢がないケース、どっちのほうがよりよい選択ができるかは明白ですよね。

昔、あるテレビ番組で、繁華街のコンビニエンスストアでアルバイトをしている若者に密着するという特集がありました。その若者は、時給800円（当時）でバイトをし、自宅とコンビニを往復するような生活をしていました。カメラを向けられた彼は、「年金とかもどうなるか分からないし不安です」と胸の内を明かし、将来に希望が持てないと嘆いていました。でも、自宅ではゲームばかりをしている。そんな姿も映し出されていたんですね。

少し、話は飛びます。

僕が家族旅行で沖縄へ行ったときのことです。僕たち家族が宿泊した宿は、古民家を改装した一軒家で、自分たちで布団を敷《し》いて眠るという、とてもノスタルジックな体験をしました。その宿では、夕食を古民家のオーナーであるおばあちゃんがつくってくれるのですが、この料理が本当においしかった。なかでも、沖縄の名産である島らっきょうは絶品で、思わず僕は、「これ、めちゃくちゃおいしいです!」と興奮ぎみに語ってしまいました。

すると、そのおばあちゃんは、「裏の畑で困るほど採れるの。持っていくかい?」と笑って教えてくれました。実際、翌朝に畑を見ると、そこにはたくさんの島らっきょうが自生していました。僕らは目を丸くして、「すごいね!」なんて話していたのですが、その驚きは空港へ戻ったときにいっそう大きくなりました。お土産売り場を見ると、島らっきょうが800円ほどで売られているんです。おばあちゃんが、「裏の畑で困るほど採れる」と話していた島らっきょうが800円で売られている。

さて、ここで先ほどのコンビニでバイトをしている若者の姿を思い返してください。彼はいくらでバイトをしていました？　時給800円ですよね。島らっきょうが空港で売られていた価格と同じです。

僕だったら、こう考えます。

畑で困るほど自生する島らっきょうが、お土産として800円で売ることができるなら、島らっきょうを生かしたビジネスチャンスがあるんじゃないのかって。勘違いしてほしくないのは、コンビニで働くことがよくないとか、コンビニの労働をバカにしているということではないんです。働くことは尊いこと。職業に貴賤《きせん》なしです。

僕が言いたいのは、視野が狭いと800円を稼ぐ方法が限られてしまう――ということです。

もし彼が沖縄へ行き、この事実を体験したなら、生きていくうえでの選択肢の数が増えます。実際に行動するかしないかは別にして、**頭のなかのカードが増える**ん

です。**知らないというのは、それだけもったいないこと**なんですね。

僕がYouTubeで世界のことを伝えている理由。

それは、**見ているみんなに選択肢を増やす手助けがしたい**から。本当は自分の目で確かめるほうがいい。でも、いまはYouTubeやSNSがあることで、間接的に知る機会がたくさんあります。

自分の選択肢を広げるためには、いろいろな世界を知ること。それはそのまま、生きる選択肢が増えることを意味するんです。

04
物価はなぜ上がる？日本と世界はつながっている

いま世界では何が起こっているのか？

世界と言うと自分とは関係ないと思われがちですが、実は**僕たちが暮らす日本と密接につながっている**んです。

ここ数年で、僕たちがスーパーやコンビニで購入する食品は、どんどん価格が上がっています。

総務省が公表する「消費者物価指数」を見ると、２０２２年12月の同指数は、前年同月と比べて４・０％も上がっています。たった１年でこれほど上昇するのは、消費税率引き上げの影響を除くと、なんと30年ぶりの出来事です。

特に、「食料」「家具・家事用品」の上昇率は顕著で、「光熱・水道」にいたっては、前年から約23％も上昇したほどでした。

どうして、ここまで物価が高くなったのか？

それを紐解くためには、**日本国内の動向だけを見ていても実は分かりません。**

というのも、このとき物価指数が上昇した原因は、２０２２年の**ロシアによるウクライナ侵攻**にあるからです。両国（ロシアとウクライナ）が生産する原油や穀物の供給が滞るのではないかという不安が世界で広まり、物価が上昇。その影響が日本の家計にまで到達しました。

たとえば、１バレル当たり約80ドルで推移していた原油価格は、侵攻が始まると約１２０ドルまで上がったほどです。原油価格が上がると、原油を使用して生産するプラスチックなどの梱包《こんぽう》資材類の価格も上がってしまいます。最近では卵の価格も上昇傾向にありますが、梱包するためのプラスチックを製造するコストが上がっていることも要因の１つです。

また、ガソリン価格が高ければ宅配便などにも影響を及ぼすため、輸送費が値上がりしていく可能性もあります。原油を精製して製品化したものを「石油製品」と言いますが、**原油価格が上がるということは、生活に欠かせないたくさんのものに**

●戦争で僕らの日常生活はどう変わるか

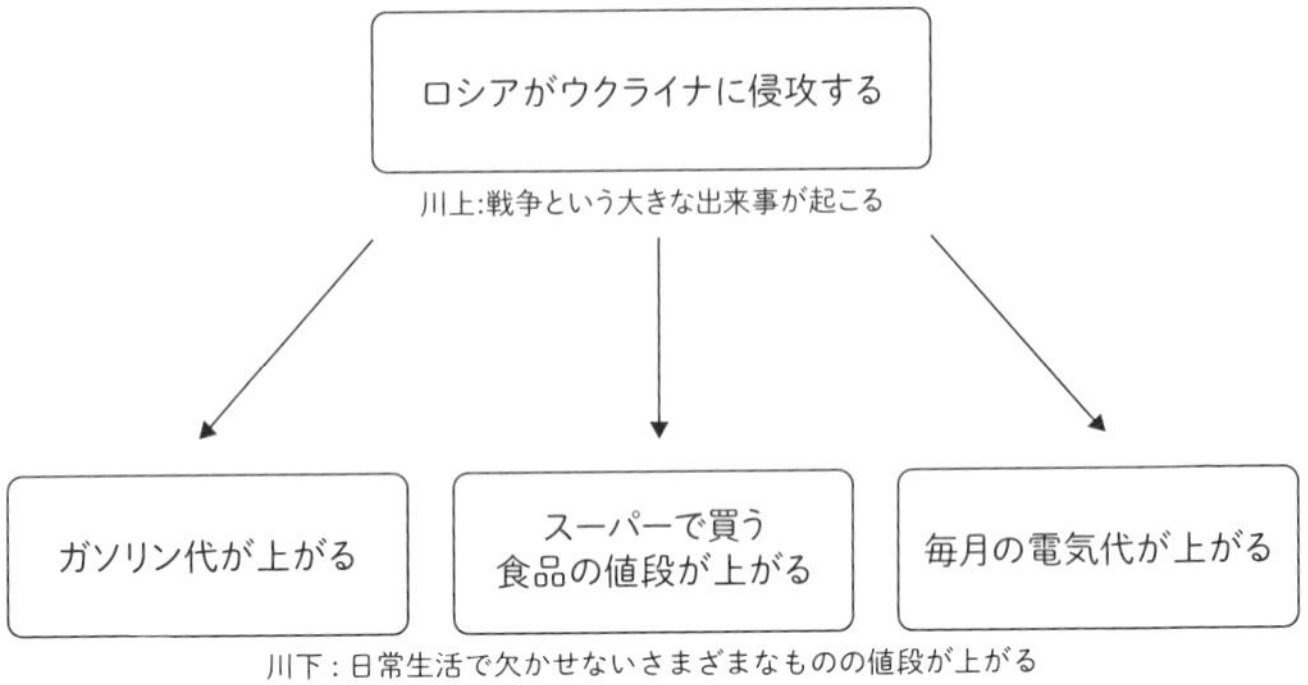

ロシアがウクライナに侵攻する
川上:戦争という大きな出来事が起こる
ガソリン代が上がる
スーパーで買う
食品の値段が上がる
毎月の電気代が上がる
川下：日常生活で欠かせないさまざまなものの値段が上がる

影響が出てしまうということなんですね。

影響はこれだけではありません。食料価格が上がるのも同様です。

日本の畜産業界は、輸入したトウモロコシを豚や鶏の飼料にしているケースが多く、飼料コストが上がれば、スーパーに並ぶ豚肉、鶏肉の価格も上がります。国産だから値上がりしないということはなく、飼料や施設の光熱費などの間接的なコストが上がれば、そのぶん、価格にも上乗せされ、僕らの生活に影響を及ぼすんです。

農林水産省によれば、日本の食料自給

● 日本と世界の食料自給率（カロリーベース）

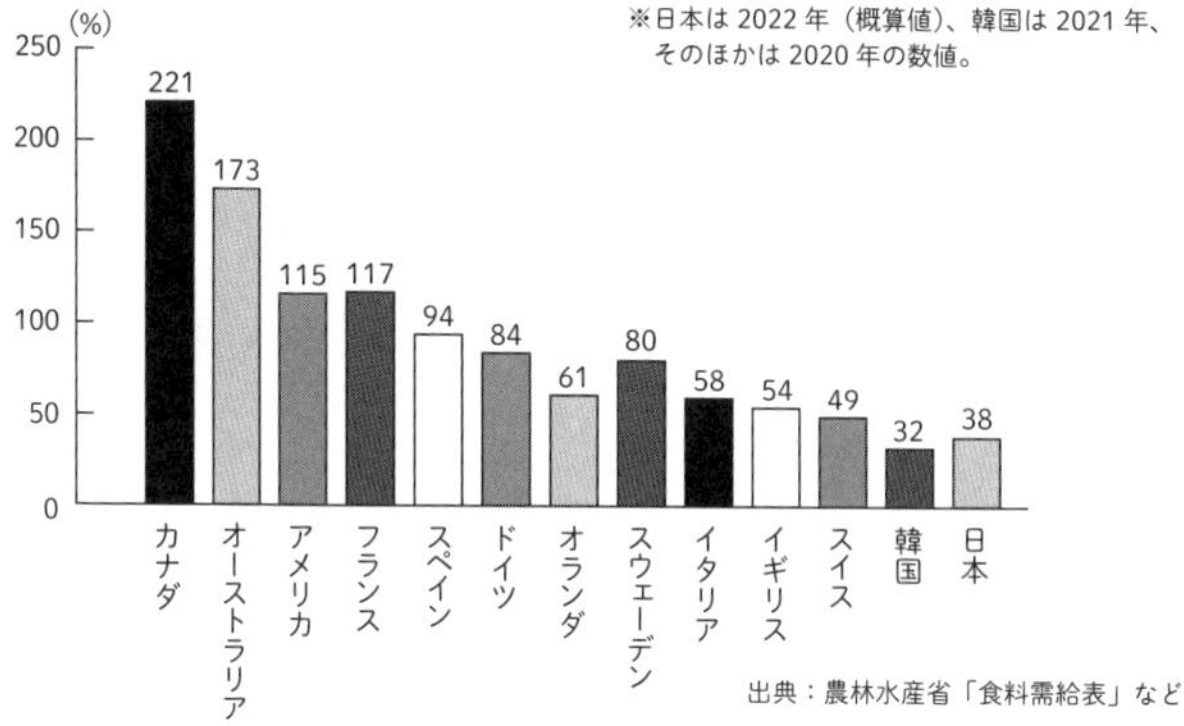

※日本は2022年（概算値）、韓国は2021年、
そのほかは2020年の数値。

出典：農林水産省「食料需給表」など

率（僕たちが食べる食料のうち国内で生産している割合）は38％と公表されています（2024年時点）。他国の食料自給率は、カナダ221％、オーストラリア173％、アメリカ115％、フランス117％、ドイツ84％、イギリス54％……いかに日本が低いかは一目瞭然ですよね。実際の日本の自給率はもっと低いとも言われていて、自給率の向上は喫緊の課題と叫ばれています。

加えて、2022年時点では、日本は石油の輸入の95・2％を中東の湾岸諸国に依存しています。

食料やエネルギーを他国に頼っている日本は、戦争が起こっているのは遠い場

所であるにもかかわらず、その影響をダイレクトに受ける可能性が高くなります。

川上から僕らの家庭、つまり川下に影響が出るまでには、6カ月ほどタイムラグがあると言われています。実際、ロシアがウクライナ侵攻を開始した2022年2月の約半年後に、たくさんの食品が値上げされました。

それと同時にいまは急激な円安が進行しています。円安が進むと輸入価格が高くなるわけですから、これも物価上昇に影響しています。

この本が発売されている頃には、再び値上げラッシュになっているかもしれませんね。

世界では何が起こっているか——。

それを知ることは自分たちの足元を見つめる機会でもあり、変化を予測することでもあるんですね。「遠い国で起こっていることだから僕らには関係ない」。そうやってあぐらをかいていたら、僕らは世界から取り残されてしまうんです。

05 「世界の中心はアメリカ」はもう過去の話？

「国際情勢」と聞くとなんだか難しい話に聞こえてしまいますよね。でも、世界を知ることは自分たちの足元を見つめることとニアイコールだと、僕は考えています。自分たちの現在地を知るためには、周辺にはどんな場所があって、どんな人々がいて、どんな考え方があるのかを理解しなきゃいけない。

世界を知ることは、僕らが生きていくうえで必要な羅針盤《らしんばん》になると思うんです。

僕は、長らくいろいろな国を訪問してきましたが、これから世界の中心は「第三世界」と呼ばれる国々に変わり、彼らが世界の指揮を執っていくと確信しています。

では、第三世界とは何でしょうか——。

「第一世界」とは、資本主義世界――西ヨーロッパやアメリカといった西側諸国のこと。日本もここに含まれます。

「第二世界」とは、かつてのソ連を中心とした、中国やキューバといった共産圏のこと。

そのどちらにも属さない国が「第三世界」です。主に、中東やアフリカ、南アメリカの国々。

これから、**世界の中心は第三世界へ移っていく**と言われるなか、**とりわけ注視しなければいけないのが中東と呼ばれるエリア**です。

僕は、**中東を理解することこそ、世界を知る最短距離**だと考えています。

ただし、中東と一概に言っても、その国々でキャラクターは異なります。

そもそも中東とは、諸説あるもののアラビア半島諸国と、トルコ、イスラエル、エジプト、ヨルダン、レバノン、パレスチナ、シリア、イラク、イラン、アフガニスタンを含むエリアを指します。

● 中東の国々

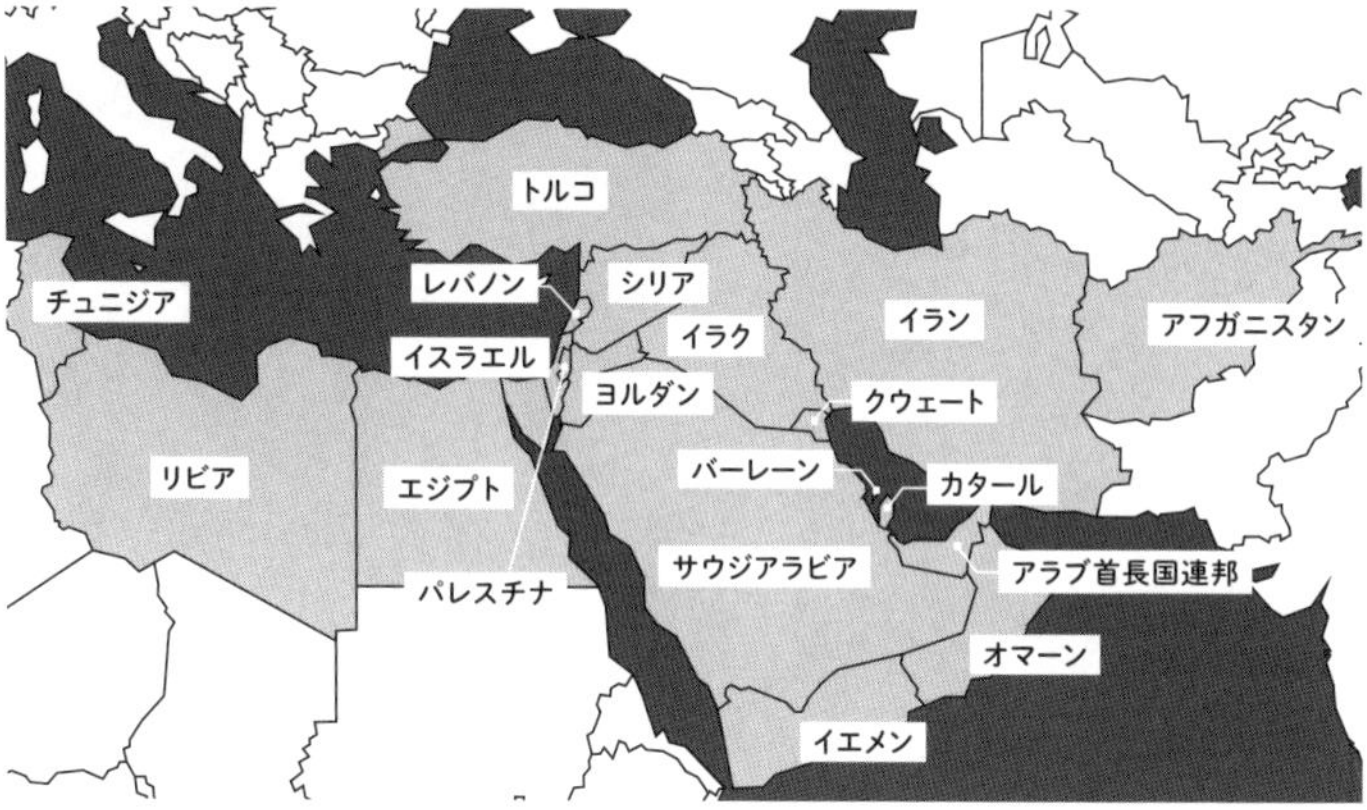

中東という呼称は、イギリスの政治行政官によるものと言われ、イギリスから見て東側の、トルコ周辺（当時のオスマン帝国周辺）を「近東」、そこからさらに東へ向かい、インド手前までのアラブ地域を「中東」と名づけたことに起因します。僕たちが暮らす日本は「極東」と呼ばれるけど、これはインドよりもっと東にあるエリアだから「極東」というわけです。

どうして中東にフォーカスを当てるべきなのか？

それは、**中東はアジアとヨーロッパとアフリカ、3つの大陸をまたにかける「大陸のつなぎ目」に位置する**からです。

19世紀末にスウェーデンの政治学者ルドルフ・チェレーンが提唱した「地政学」という考え方があります。国家の存在や政策を、その地理的位置や環境から研究する学問で、どんなことが起こりうるかを動態的にとらえ、国家の安全保障や外交政策と結びつける考え方です。

地政学的な考え方は、僕らの生活にも当てはまります。

たとえば、自分が暮らしている場所の最寄りの駅が、「急行が止まる駅かどうか」で人の流れは変わるし、土地の価格も変わってきますよね。「急行が止まる駅」にお店を開けば、家賃は高くなるかもしれないけど、たくさんの人が来店する可能性が高くなります。どのような地理的環境にあるかで、描く戦略は変わってくるはずです。

同様に、世界でも海がある国と海がない国、要衝《ようしょう》地域とそうではない地域という具合に、条件が違えば、立てる戦略も変わってくるわけです。条件に恵まれているのと、恵まれていないのとでは、国が成長するスピードも大きく変わってくるんです。

●中東の地政学的な位置

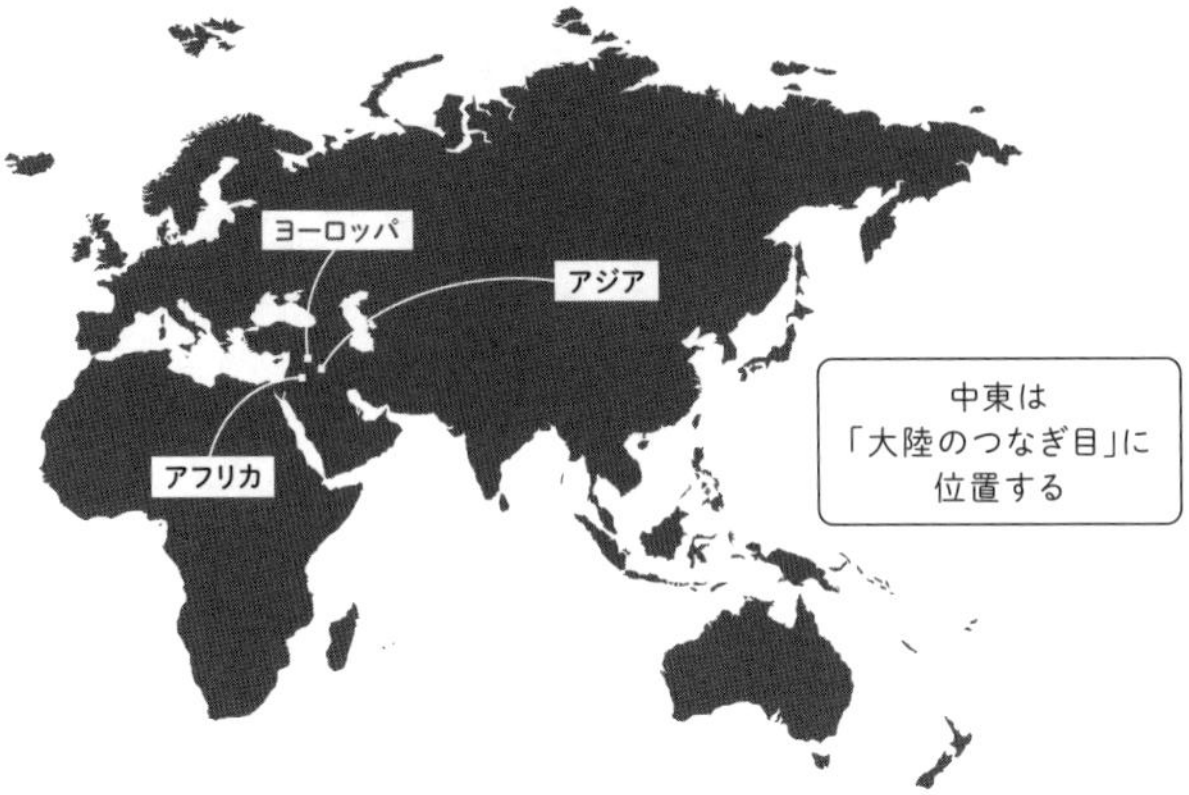
ヨーロッパ
アジア
アフリカ
中東は
「大陸のつなぎ目」に
位置する

中東は、3つの大陸をつなぐ場所に位置するため、地政学上、極めて重要な場所と言われています。つなぎ目にあるから、商業が栄え、争いが絶えず、新しい流れが生まれてきたわけです。**このエリアの「いま」を理解することが、そのまま西側諸国、アジア、アフリカを知ることにもつながる。**

だからこそ、これらの地域にまたがる中東の一挙手一投足をウォッチしておくことが大切なんです。

そして、もう1つ大事なことが、**世界屈指の石油・天然ガス産出地域であり、エネルギー資源が豊富なエリア**だということです。

● OPEC加盟国

1960年当時	2024年6月現在（追加された国）	
イラン	リビア	ガボン
イラク	アラブ首長国連邦（UAE）	赤道ギニア
クウェート	アルジェリア	コンゴ共和国
サウジアラビア	ナイジェリア	
ベネズエラ		

（計12カ国）

先ほど「日本は石油の輸入の95・2％を中東の湾岸諸国に依存している」と書きましたが、もしも、この地域が「日本に石油を輸出するのをやめる」と言い出したら、日本は大パニックに陥ってしまいます。

「オイルショック」という言葉を聞いたことがありませんか？

第4次中東戦争（1973年）によるOPEC（オペック）の原油生産削減と輸出禁止措置によって、原油価格は3カ月で約4倍に高騰。ここ日本でも物価が急上昇し、原油によって製造されるトイレットペーパーや洗剤の買い占めが広がった大騒動です。

第4次中東戦争は、イスラエルとエジプト・シリアをはじめとするアラブ諸国との間で勃発した戦争でした。

ＯＰＥＣとは、石油輸出国機構（Organization of the Petroleum Exporting Countries）のことを指し、１９６０年にイラン、イラク、クウェート、サウジアラビア、ベネズエラの5カ国によって設立された組織です。現在は、リビア、アラブ首長国連邦（ＵＡＥ）、アルジェリア、ナイジェリア、ガボン、赤道ギニア、コンゴ共和国が加盟し、12カ国で構成されています。

仮に、現在報道されているイスラエルとハマス、イスラエルとイランの戦争が激化すれば、似たようなことが起こりかねません。エネルギーを持っている国が、その蛇口を閉めてしまえば、僕らの生活は激変してしまう。

この地域が、世界とどんなつながりを持ち、どんな動きをしているかを知らないことは、そのまま未来の僕たちの生活が読めなくなるということでもあるんです。

06

木を見て森も見る
——ハマスとイスラエルの衝突

物事には一歩引いて、上から俯瞰《ふかん》してみないと分からないことがたくさんあります。これは国際情勢を読み解くうえで、必要不可欠な視点です。

皆さんもニュースで見たと思います。

2023年10月7日の朝、パレスチナのガザ地区を支配するイスラム系過激派組織ハマスが、突如イスラエルに侵入し、奇襲とも言えるテロ行為を行いました。イスラエルとの境界にある分離フェンスを越えて侵入してくる異例の行為で、音楽フェス「スーパーノヴァ」に参加していた大勢の民間人が犠牲になりました。決して許される行為ではありません。

翌日、イスラエル政府は「戦争状態」を公式に宣言し、ハマス壊滅を成し遂げるべく、ガザ地区に空爆を行いました。現在も（2024年6月時点）、イスラエルと周辺諸国は緊張状態が続いています。

この事実に鑑《かんが》みれば、イスラエルとハマス、双方を注視しなければいけません。彼らの動向を追っていくことは、たしかに大切です。しかし、僕はこれだけでは十分ではないと考えます。

同じくらい大切なのが、俯瞰して物事全体をとらえること。できるだけ引いて、客観的に見てみないと、都合のいい箇所だけを切り取られて伝えられている可能性があるからです。

イスラエルの声明によって、アメリカをはじめ西側諸国は反ハマス、親イスラエルの態度を取りました。

そんななか、2023年11月にサウジアラビアの首都リヤドで、「アラブ連盟」と「イスラム協力機構」の臨時の合同首脳会議が行われました。イスラム教を国教と定める国、アラブ人が暮らす国、実に57カ国の君主、大統領、首相らが集まる最大規模の会議です。57カ国も参加しているため、なかには、お互いにあまり良好な関係ではない状態の国もあります。

ところが、共同声明で、「イスラエルによるガザ地区への報復攻撃は戦争犯罪であり、悲惨な影響を生むことについて警告する」と言い放ち、「イスラエルが侵略をやめず、（国連）安全保障理事会が国際法の執行によって侵略を終わらすことができないことで、戦争が拡大する現実的な危険について警告する」と警鐘《けいしょう》を鳴らしたのです。

なんとこの会議には、渦中《かちゅう》の国であるイランのエブラヒム・ライシ大統領（2024年5月19日、ヘリコプターの墜落事故により死去）も参加し、サウジアラビアは不協和音を払拭《ふっしょく》するべく、**イスラム諸国に「いまは協力するとき」と呼び掛けた**のです。

アラビア語を言語とする国々のことを「アラブ」と呼びます。

スーダン、リビア、アルジェリア、チュニジア、モロッコ、モーリタニアといった北アフリカの国々はアラビア語を公用語とし、これらの国々では宗教もイスラム教です。文化的にも精神的にも中東の国々と通ずるものがあり、もちろん先の会議にも参加しています。

また、マレーシアやインドネシア、カザフスタン、タジキスタンといったアジアの国のなかにもイスラム教を国教と定める国は珍しくありません。「イスラム協力機構」は、世界中のイスラム教国56カ国と、パレスチナで構成される国際機関（計57カ国）ですが、それらの国のトップがサウジアラビアで一堂に会す。この会議は、現在のサウジアラビアがイスラム諸国のなかでいかに強大であるかを物語っています。

中東問題を考えるときに覚えておきたいのが、**「イスラム協力機構」のリーダー的立場にあるサウジアラビアの動向が大きなカギを握っている**ということです。ハマスのテロ行為からのイスラエルの戦争宣言、そこから俯瞰すると、**サウジアラビアを中心とするイスラム諸国が、イスラエルとその支援を続けるアメリカに「NO」を突きつけている**事実が浮かび上がってくるわけですね。

そのサウジアラビアから、たくさんの原油を輸入しているのが日本です。

実は、この合同首脳会議が開かれたとき、イスラエルへの支援を表明する国への原油の輸出禁止措置についても話し合われたと言います。全会一致ではなかったため持ち越しになったようですが、もし参加国が全員賛成の意を表明していたら、親イスラエルの態度を取る日本には、本当に原油が輸出されなくなっていたかもしれ

●ハマスとイスラエルの全体像

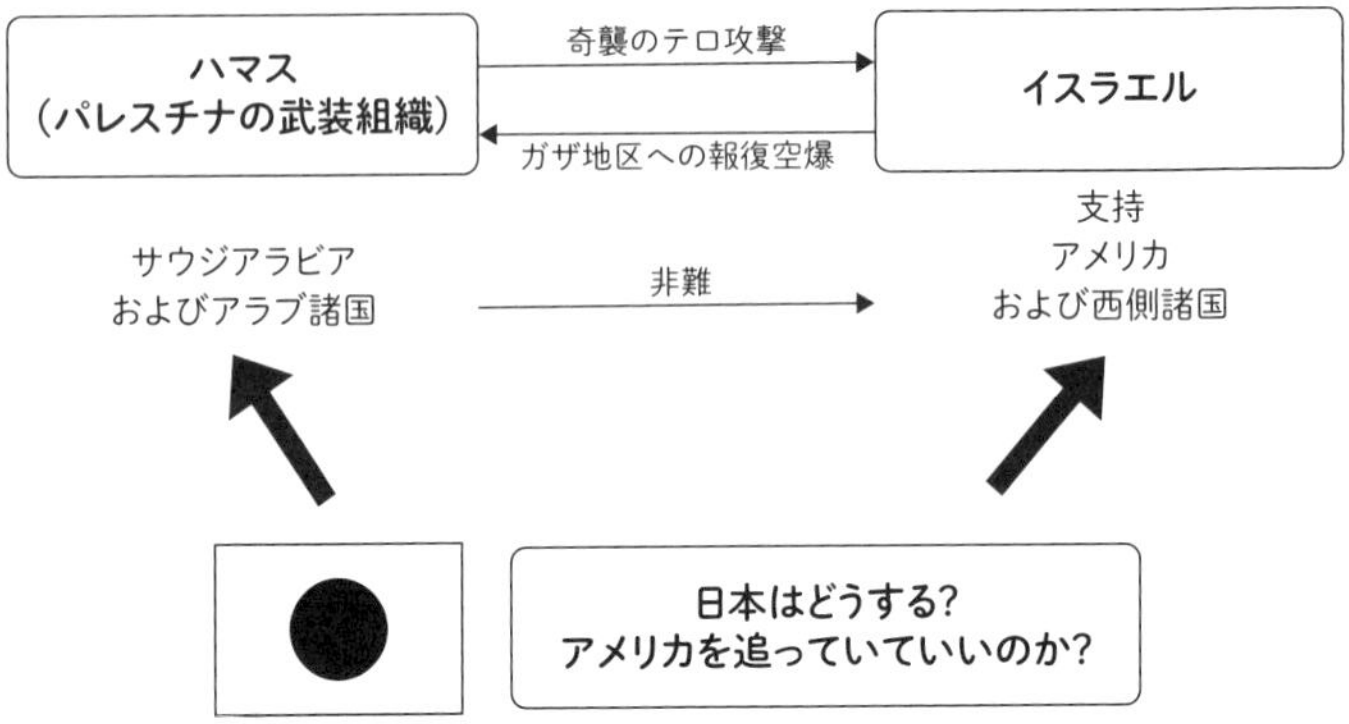

ないんです。

こんなに大事なことなのに、どうして僕らは知らないんだろう？

そして、**57カ国はなぜそれほどまでに怒りをあらわにするんだろう？**

それについては、この本のなかで後述していきます。

まず僕が伝えたいのは、**一見するとイスラエル（・アメリカ）とハマスの対立にフォーカスが当たりがちなこの戦いは、その裏にこそ本当に注意しなければいけない事情がある**ということ。

対立の舞台裏では、57カ国もの巨大な共同体が、イスラエルの行為を支持しようものなら「我々にも考えがあるぞ」とカードをちらつかせた。原油が輸入できなくなる可能性があるなかで、僕たち日本は本当にイスラエルとアメリカの支持を続けていいのか？　議論は、さまざまな因果関係を整理して進めないといけないことが分かると思います。

国際情勢は、単に点だけを拾っていても本当の姿は見えてきません。拾い集めた点と点をつなぎ合わせて線にして、その線をつなげて立体にする。すると、物事が浮かび上がってきます。

「木を見て森を見ず」という言葉があります。木だけを見ている……つまり、細部にこだわりすぎると、森全体を把握できなくなるという意味です。物事の細かい部分にこだわりすぎると、本質や全体像を見落としてしまいます。

戦争や争いは、ある日突然、始まるものではありません。殴り掛かる動機があったから発生する。同時に、**停戦や休戦もある日突然やってくるものではなく、握手をするための話し合いがあるから、お互いが砲撃を止める**わけです。

視野を広げて、前後を見ること。それこそ、世界の動きを読み解くために必要なスキルです。

07 伝統から革新へ。大改革を進めるサウジアラビア

ここで、**「イスラム協力機構」のリーダー的立場にあるサウジアラビア**について説明しておきましょう。

そもそもアラブ諸国のなかで、「王国（キングダム）」と言われているのはサウジアラビアだけなんですね。

そのほかのアラブ諸国にも王様はいますが、たとえばアラブ首長国連邦（UAE）やカタール、クウェートでは「首長（シェイク、あるいはアミール）」、バーレーンでは「国王（マリク）」、オマーンでは「国王（スルタン）」というように呼び名が違い、決して「王様（キング）」という敬称は使われません。**サウジアラビアのみが、王様という扱いになっている**ことからも、他のアラブ諸国より格が上であることが分かります。

サウジアラビアは、1902年に建国された国です（サウジアラビア王国の樹立は1932年）。アラビア半島は、16世紀以降オスマン帝国に支配されてきたのですが、過去の栄光を取り戻すべく、保守的で厳格なイスラム改革を志す人物・ワッハーブによって潮目が変わることになります。

このワッハーブに同調したのが、王家だった**サウード家**です。アラビア半島のサウード家だから、のちにサウジアラビアという国名になるほどで、名前が国名として冠されるのだからサウード家の影響力は絶大ということが分かると思います。サウジアラビアは一夫多妻制なので、サウード家の王族はねずみ算のように増え、現在ではサウード家は3万人を超えるとも言われています。石を投げたらサウード家に当たる……なんて笑い話もあるほどです。

サウード家は、ライバルであるラシード家とオスマン帝国を破り、さらには第一次世界大戦後にイギリスの後ろ盾を得て建国されたハーシム家を破り、アラビア半島の大部分を統一することになります。アラビア半島のそのほかの国は、1960年以降に独立・建国するため、その下地を築いたサウジアラビアの存在感は別格というわけです。

また、イスラム教の3大聖地であるメッカの「カーバ神殿」、メディナの「預言者のモスク」、エルサレムの「岩のドーム」のうち、前者2つがサウジアラビア国内にあることも、サウジアラビアを中東アラブ圏のリーダーたらしめている大きな要因です。

そして、サウジアラビアは世界屈指の産油国であり、2022年にはサウジアラビアの国営石油会社サウジアラムコがアメリカのアップルを抜いて時価総額で世界最大の企業となりました。

歴史、文化、経済、すべてにおいてリーダー的素質を持つサウジアラビアの動向

は、そのまま中東世界を左右する。 このことを覚えておかなければいけないんですね。クラスで勉強もできて運動もできるリーダーの意見に、みんなが耳を傾けてしまうように、サウジアラビアの言動は、ほかのアラブ諸国に強い影響を与えるというわけです。

いま、**サウジアラビアは改革の真っただ中にいます。** サウード家が志をともにしたワッハーブは厳格なイスラム教徒だったため、長らくサウジアラビアはイスラム教国のなかでも保守的・伝統的な国として君臨してきました。

伝統的と言えば聞こえはいいけれど、実際にはお店に入るにしても男性と女性の入り口は別。レストランへ行くと、メンズテーブルとファミリーテーブルという区分けがされていて、女性は家族と一緒にファミリーテーブルに座り、男性だけの集団の場合はメンズテーブルに座るといったことが当たり前でした。どうしてこんなことをする必要があるのかと言うと、イスラム教の教えに基づいているからなのですが、宗教についてはあらためて第3章で説明したいと思います。

女性が車の運転をできるようになったのも、つい最近の2018年。しかし、着実に変わってきているのも事実で、その指揮を執っているのが、現・国王であるサルマン・ビン・アブドゥルアジーズ国王の息子であるムハンマド・ビン・サルマン皇太子です。まだ38歳（2024年7月時点）という若さながら国際感覚に優れた気鋭の存在として、世界的に注目を集める人物でもあるんです。

彼が台頭する前まで、サウジアラビアの経済は石油に依存するというものでした。でも、**石油の価格が暴落すれば、そのまま経済も衰退してしまう**。石油に依存する国のあり方を「レンティア国家」と呼びますが、サウジアラビアは、まさに「レンティア国家」の代表格でした。

採れた石油はすべてサウード家のもので、対価として受け取ったお金を国民に分配する。国民からすれば、黙っていてもお金が振り分けられるからとても助かる。だけど、こうした国家のあり方は資源依存でしかなく、国民の働く意欲もそいでしまう。そのため、成長しづらく、新しい産業も生まれにくくなるといったデメリットがありました。

そのためサウジアラビアは、2010年頃から「**脱石油**」や「**女性の解放**」といったテーマを掲げていました。しかし、保守的な人が多く、なかなか前に進めな

左／リヤド市内に次々と建設されている奇抜な高層ビル群。
右上／マディーナ〜メッカ間で開通している新幹線。
右下／サウジアラビアの新幹線が発着する「マディーナ駅」。

い状況が続いていたんですね。それを変えようと奮闘しているのが、サルマン国王と、その息子サルマン皇太子というわけです。

サウジアラビアに、漫画『ドラゴンボール』をテーマにしたアミューズメントパークができるというニュースを聞いたことがある人も多いと思います。そうした新しい産業の萌芽《ほうが》も、大きな改革が進んでいることを物語っていますよね。

保守的だったサウジアラビアが改革に舵《かじ》を切った――。こうした流れがあるからこそ、中東、ひいては第三世界の動向に注目する必要があるんです。

08

ロシアへ経済制裁！逆に強くなった第三世界

実はドナルド・トランプ大統領からジョー・バイデン大統領に代わって、**アメリカは急速に世界から信頼を失いつつあります。どんなことをしてきたか、その詳細については第2章にゆずるとして、第三世界が存在感を強めるにいたった背景も、バイデン大統領の失態にある**と言っても過言ではありません。

その最たる例が、2022年2月に始まったロシアのウクライナへの侵攻です。このときアメリカは、ロシアへの経済制裁の一環として、ロシアの特定の銀行を国際的な決済ネットワーク「SWIFT（スイフト）」から締め出す措置を取りました。これは端的に説明すると、**ロシアはドル建てによる決済ができなくなった**というものです。

さて、どういうことでしょうか。

僕たち日本は、中東から石油を買ったり、天然ガスを買ったりしています。同様に、ほかの国もコモディティと呼ばれるエネルギー、金やプラチナなどの貴金属、トウモロコシや大豆といった穀物を買っています。その際、決済手段としてどの国も基軸通貨のドルを使用しているんです。

では、なぜ世界的な基軸となる通貨が必要なのか。

たとえば、経済的に豊かとは言えないバングラデシュのような国が石油を買うために産油国と取引を行うとします。その際に、バングラデシュの通貨である

「タカ」で買いたいと交渉しても、産油国は困ってしまいます。というのも、支払われた「タカ」は世界的に流通していないため、持っていても使う機会がほとんどないからです。

そこで、**どこの国でも通用するドルにいったん換えることで売買を行えるようにしている**わけです。

世界の基軸通貨になっているドルは、**通貨として絶対的な地位にある**とも言えます。世界のどこでも価値があるわけですから、ドルが大きく暴落する可能性は低いです。

実際問題として、石油の国際取引においてドルは、「ペトロダラー」（石油を意味するpetroleum〔ペトロリアム〕と、ドルを意味するdollar〔ダラー〕を合成した造語）と呼ばれるほど強固で絶対的。石油は世界のいたるところで欠かせない必需品ですから、決済をするためにどの国もドルに換えなければいけません。

そのため、アメリカは**国債を刷り続けても、ニーズが約束されているからドルの価値が落ちない**というわけです。

こうしたドル一強とも言える強さを持つからこそ、ロシアへの経済制裁としてドルを使えなくさせたわけです。ドルが使えなくなれば、ロシアはコモディティの取引ができなくなりますから。

城の周りに堤防を築き、川の水を流し込んで城を水没させる「水攻め」という戦術がありますが、アメリカがロシアに行った経済制裁は、まさに現代版の水攻めとも言える、間接的にロシアを苦しめていくようなものでした。

バイデン大統領は、ドルを利用したあからさまな攻撃「**ドルの武器化**」をしたわけだけど、**こんな光景を見せつけられた他国はどう思うだろう？**　もし、自分たちにこんなことが起きたらと思うと、ゾッとしてしまいます。

この行動は思わぬ副産物を生んでしまいます。

「ＳＷＩＦＴ」という決済ネットワークは、第一世界である欧米がつくった金融システムです。言わば、アメリカをはじめ西側諸国のさじ加減で、コモディティを買うための基軸通貨であるドルが使えなくなるかもしれない。こんなことをされれば、買うほうはもちろん、石油や貴金属などを売るほうも困ってしまいます。

「ドルに依存していたら大変なことになる。**一刻も早くドル依存体制から脱却しなきゃいけない**」

世界は一気に、そんな雰囲気へと加速してしまったんです。

結果的に、バイデン大統領のロシアへの経済制裁は、世界のドル離れ加速の引き金となってしまいました。**「ドルに依存しない経済圏を目指す」、それこそが第三世界の経済圏であり、昨今「グローバルサウス」と言われる、欧米主導の秩序を塗り替える潮流**です。

その中心にいるのが、BRICS（ブリックス）と呼ばれる連合体と、豊富なエネルギー資源を持つ中東をはじめとした国々です。

09 BRICSの躍進。ドルの価値が下がる未来

BRICSという言葉を聞いたことがありませんか？

BRICSは、ブラジル、ロシア、インド、中国、南アフリカの5カ国の頭文字を取った名称で、2009年に結成された連合体のこと。設立条約や常設事務局がないのが特徴ですが、2015年には、BRICS開発銀行（本部・上海）が設立され、先進諸国に対抗する形で多極的な世界秩序を形成することを目標にしています。

先のバイデン大統領のドルの武器化を引き金に、第三世界の国々は続々と集結しつつあります。2024年1月には、サウジアラビア、アラブ首長国連邦（UAE）、イラン、エチオピア、エジプトの5カ国が新たに追加され、加盟国は計10カ国にまで増加しました。

驚くべきは、この10カ国のポテンシャルです。

今回、新たに5カ国が加わったことで、ＢＲＩＣＳの総ＧＤＰ（国内総生産）は、世界経済の約28％を占める約28兆５０００億ドル規模に増加したと言われています。

とりわけ注目すべきが、この10カ国だけで**世界に眠る原油生産量の約44％を占めている**という点。今後は、ベネズエラ、カタールといった天然資源を持つ国も参加すると言われているだけに、ＢＲＩＣＳ経済圏の影響力は絶大。特に、90％以上の石油をサウジアラビアなどの湾岸諸国に頼っている日本は、ＢＲＩＣＳ経済圏を無視することができなくなります。

彼らが話し合っていることの1つが、**ペトロダラーからの脱却**です。なんといっても世界の約半分の石油をはじめ、膨大なエネルギー資源を有しているわけですから、アメリカ（ドル）の顔色をうかがう必要はなく、「自分たちでやりやすいようにやればいい」と考えるのは不思議ではないですよね。

実際、サウジアラビアは明確にその意思を示し、２０２２年12月に石油の人民元《げん》決済取引を初実施しています。また、２０２４年5月に行われたロシアと中国によ

● BRICS加盟国

設立時の5カ国	2024年に追加された国
ブラジル	サウジアラビア
ロシア	アラブ首長国連邦(UAE)
インド	イラン
中国	エチオピア
南アフリカ	エジプト

(計10カ国)

る首脳会談では、「露中貿易の90%がロシア・ルーブルまたは人民元による自国決済になっている。これは双方の利益に適《かな》う」とアナウンスし、脱ドル化を強調しているんですね。

もしも、こうした動きが第三世界を中心に加速したら、ドルの価値は間違いなく下がるでしょう。下がるどころか、もしかしたら一気に暴落する可能性だってあるわけです。

ここで少し、為替《かわせ》について簡単に説明しておきましょう。いま、日本は円安と言われていますよね。

円安とは、外国通貨に対して日本円の価値が下がった状態のことを指します。

分かりやすく言えば、1ドルを購入するのに必要な円の金額が増えるということ。たとえば、1ドル＝100円が1ドル＝120円になれば、20円分多く払わなければいけないのだから、円の価値が下がっているということです。

どうして円の価値が下がるのか。

長い目で見れば、金利の変動や政治・経済の安定性などの要因があるわけですが、**他国から見て「こんな国のお金を持っていても意味ない」と思われることが、もっとも分かりやすい価値の下がり方**でしょう。

たとえば、ポケモンカードにプレミアム価値がつくのは、ポケモンがとても有名で、いろいろな人がそのカードの価値を分かってくれるからですよね？　でも、ポケモンカードとは別の聞いたこともない〝ペケモン〟カードというカードがあったとして、「これと500円を交換してよ」と言われても、たぶん、誰も応じてくれないと思います。あるいは、ポケモンが廃れてしまって、もう誰も関心を示してくれなくなったら、かつては価値のあったポケモンカードも価値がなくなっていってしまいます。どこで使えるかわからないようなカードや、昔は流行ったかもしれないけどいまは誰も興味がないカードに、関心を示してくれる人なんていません。通

● ドルに対する通貨の価値の変化(2024年4～5月)

南アフリカ・ランド	+5.2%
オーストラリア・ドル	+4.2%
ロシア・ルーブル	+3.1%
メキシコ・ペソ	+2.8%
ユーロ	+2.1%
イギリス・ポンド	+2.1%
韓国・ウォン	+1.9%
インドネシア・ルピア	+1.6%
トルコ・リラ	+1.5%
カナダ・ドル	+1.2%
インド・ルピー	+0.4%
中国・元	+0.3%
日本・円	−0.7%

貨にも、これと似たようなところがあるんですね。

先ほど、ドルは世界中で使われるから価値が保たれていた、と説明しました。でも、BRICSはドル依存をやめようとして、コモディティの決済を他の通貨でもできるように動き始めています。もしそんなことが当たり前になったら、ドルの価値はどうなるだろう？

いま、日本は円安ドル高と言われ、アメリカ旅行に行く人が現地で節約するために食材を持っていくなんてニュースが報道されています。そんなニュースを見ると、「円は弱いかもしれないけど、ドルは強いままじゃん」と思うはずです。

だけど、前ページの表を見てください。これは2024年5月時点のアメリカ・ドルと他国のレートを表にしたものだけど、4月から5月の1カ月でドルに対して価値を下げているのは、日本だけです。

ドルに対して価値が弱いのは、主要国のなかでは日本だけです。

現在アメリカは、パレスチナ問題に関する国内デモが相次いでいることもあり、不安定ということもあると思います。だけど、経済状況のよくないトルコ・リラ、経済制裁をされているロシア・ルーブルが上がって、ドルの価値が下がっているのは、ドルが決して強くないことを物語っています。

今後は、主要国においてはドル安が進行する可能性が高いと言われているので、ドルの為替推移も注視しておくといいでしょう。

先ほど、ドルは基軸通貨としての価値が保証されていたから国債を刷り続けることができると説明しました。それはそのまま、価値が保証されているから国債も保証されることを意味します。

諸外国のアメリカ国債保有額は7兆9650億ドル（2024年4月時点）と言わ

れるなかで、日本の保有額は1兆1670億ドルときわめて高水準。日本は、世界最大の米国債保有国なんですね。

ドルが下がるとき、日本円も心中する可能性が高い。なぜ日本円が弱いのか、僕らはもっと周りをよく見渡して、包括的に知らなければいけないんです。

いま世界では、グローバルマイノリティという言葉が使われ始めています。これまではG7と呼ばれる日本、アメリカ、イギリス、フランス、ドイツ、イタリア、カナダの先進7カ国が世界の中心と言われていましたが、もう世界のなかでは少数派、マイノリティだと言われています。経済規模が急成長し、人口規模にいたってはG7の比較にならない市場を持つグローバルサウスのほうが多数派（マジョリティ）だと、彼らはうたっている。

どうしてマイノリティな経済圏の基軸通貨であるドルを使わないといけないのか？

ドルからの脱却、すなわちそれは**世界がアメリカ中心からシフトチェンジしている**ということです。

第2章

パワハラの歴史
——アメリカに翻弄される中東

10 日本では悪役のトランプが中東との和平を進めた？

バイデン大統領は、「ドルの武器化」によって第三世界との溝を深めてしまいました。

しかし、その前の大統領である**トランプがアメリカ大統領だった2016年から2020年までの間は良好な関係を築いていました。**特に、中東各国とはとてもうまくリレーションシップが築けていました。

「イスラエルとアラブ諸国は仲が悪い」というイメージを持っている人は少なくないと思いますが、実際には2020年に、トランプ大統領が仲介することで、イスラエルとアラブ首長国連邦（UAE）、バーレーン、モロッコ、スーダンのアラブ4カ国の国交を正常化する「アブラハム合意」が締結されています。

これまでアメリカは、1979年にジミー・カーター大統領の仲介でエジプト

● イスラエルの国交正常化の歴史

国交正常化の相手国（アラブ）		樹立年	アメリカ大統領
イスラエル	エジプト	1979年（和平条約締結）	ジミー・カーター大統領
	パレスチナ	1993年（オスロ合意）	ビル・クリントン大統領（仲介したのはノルウェー外相）
	ヨルダン	1994年（和平条約締結）	ビル・クリントン大統領
	アラブ首長国連邦（UAE）	2020年（アブラハム合意）	ドナルド・トランプ大統領
	バーレーン		
	モロッコ		
	スーダン		

とイスラエルの間で国交を樹立させ、1993年のビル・クリントン大統領の時代にイスラエルとパレスチナが国交を樹立する「オスロ合意」を締結しています。

この歴史的和解の功績が認められ、イスラエルのイツハク・ラビン首相はノーベル平和賞を受賞したほどでした。

ところが、その後は約30年間にわたってイスラエルと中東アラブ諸国の関係は進展しませんでした。

暗礁《あんしょう》に乗り上げていた中東和平を、トランプ大統領は一気に4カ国と進めた。こうした動きを、サウジアラビアも歓迎していました。

イスラエルとサウジアラビアの関係性も融和され、イスラエルのベンヤミン・ネタニヤフ首相とエリ・コーエン外相が、毎年恒例のイスラム巡礼のために、イスラエルのテルアビブからサウジアラビアのジェッダに向かう直行便を就航させる交渉を、サウジアラビアと行っていたほどです。

ジェッダ空港は、メッカから一番近い空港なので、「メッカへの玄関口」とも言われている。だから、イスラエルからメッカ巡礼をする人のために直行便を就航させたらいいじゃないかと計画していたわけです。

中東和平を考えたとき、**イスラエルとアラブの盟主であるサウジアラビアの歩み寄りは、とても大きなインパクトを持つ**ことは想像に難《かた》くないと思います。そういった歴史的な快挙が進んでいたんです。

トランプ大統領は、ビジネスマンであり、強烈なキャラクターを備えていることから、ここ日本では悪役キャラクターのように報じられています。

だけど、**彼が任期中の4年間は一度もアメリカが介入するような戦争は起きていない**。それどころか、いま説明したように中東和平に向けた交渉を着実に行っていたほどでした。

● 近年のアメリカと戦争の歴史

	名前	主要な出来事	開始年
第41代	ジョージ・H・W・ブッシュ大統領	パナマ侵攻	1989年
		湾岸戦争	1990年
第42代	ビル・クリントン大統領	コソボ紛争	1998年
第43代	ジョージ・W・ブッシュ大統領	アフガニスタン紛争	2001年
		イラク戦争	2003年
第44代	バラク・オバマ大統領	リビアへの国際介入（リビア危機）	2011年
		イラクへの介入（ISILに対する攻撃）	2014年
第46代	ジョー・バイデン大統領	ハマス・イスラエル戦争	2023年

昨今の歴代アメリカ大統領で、戦争に介入していない大統領はトランプ大統領だけです。

対して、ベビーフェイスのように持ち上げられた、その前の大統領だったバラク・オバマの時代は、イラク戦争の戦後処理が行われていた時期。イラクのサダム・フセイン元大統領が拘束、処刑され、彼に代わる新しい民主主義政権をつくろうとアメリカが何かと介入していた時代です。

また、アフガニスタンのタリバン政権を崩壊させるべく、アメリカが決断したアフガニスタン侵攻は、開戦から2カ月ほどでタリバンに勝利こそしますが、泥沼化してしまいました。結局、アメリカ軍は2021年に完全撤退しますが、その混乱はいまも続いています。

トランプ大統領以前のアメリカは、中東のあちこちで戦火を広げた〝招かれざる客〟。そのため、**いまも現地民の多くがオバマ時代にアレルギーを隠そうとしません。**

現在のアメリカ、バイデン大統領は、オバマ大統領の副大統領でした。

2020年のアメリカ大統領選挙前に、サウジアラビアの新聞「アラブニュース」は、アラブ圏の21カ国に対して、「もしもバイデンが大統領になったら中東はどうなると思いますか?」というアンケートを取っています。

老若男女問わず、8000人のアラブ人にアンケートを取ったところ、54%(およそ4200人)の人が回答し、その半分以上の人たちが「**オバマ政権の頃の中東に逆戻りする**」と答えているんです。

そしていま、どうなっていますか?

イスラエルとハマスが衝突し、サウジアラビアは共同声明でアメリカとイスラエルを非難するまで関係は冷え切ってしまいました。テルアビブからジェッダに向かう直行便の話は夢のまた夢。

彼らの予想は、現実のものになりつつあります。

「第三世界」の声が大きくなっている背景には、アメリカをはじめとした「第一世界」の失態もあるんですね。これも国際情勢を客観視したとき、大きなポイントです。特に、バイデン政権が取ってきた態度は、アメリカ離れを加速させるものでした。

反面教師を知ること。皮肉なことに、それもまた、これからの時代を生き抜いていくうえで欠かすことのできない「教訓」なんですね。

11

「ドルの武器化」というバイデンの失態

ドルを武器化し利用する。この行為は、バイデン大統領が行った決断のなかでも、もっとも自らの首を絞める失策だったと思います。

しかし、たった一度の過ちで信用を失うということはありません。バイデン大統領は、これまでたび重なる失態をしてきたからこそ、中東をはじめとした第三世界からそっぽを向かれる状況になっています。

もともとバイデン大統領は、政治家に転身する前は弁護士として働いていた人です。そうした背景もあり、彼はマニフェスト（公約）のなかでも人権問題と環境問題を特に重視する大統領でもありました。

中東諸国のほとんどは王政であると同時に、個人に制約を課すイスラム教国ですから、人権的には問題を抱えている国は少なくありません。また、環境問題に関しても、サウジアラビアやアラブ首長国連邦（ＵＡＥ）は産油国ですから、１人当たりのCO_2（二酸化炭素）排出量がとても高い。

はっきり言えば、**中東諸国とバイデン大統領の相性は、スタートの段階からとても悪かった**というわけです。ビジネスとして割り切るトランプ大統領とは正反対とも言えるかもしれません。

２０１８年にトルコのサウジアラビア総領事館で起きた、ジャマル・カショギさんというジャーナリストが殺害された事件は知っていますか？　彼はサウジアラビアのサウード家（王族）のスキャンダルや批判記事をアメリカの新聞「ワシントンポスト」に寄稿していたジャーナリストなのですが、サウード家が殺害指示を出したのではないかと噂《うわさ》されています。

人権問題に厳しいバイデン大統領は、この件をずっと追求していて、国際社会に向けて「サウジアラビアは人権的に問題のある国だからのけ者にする」といった趣旨を発言したほどでした。

サウジアラビアからすれば、アメリカが首を突っ込むことではないと煙たがります。

こうした状況下で、２０２２年7月にバイデン大統領はサウジアラビアを訪問します。ロシアによるウクライナ侵攻が始まって以降、原油価格が上昇し、アメリカ国内のインフレが加速。アメリカのガソリン価格も高騰していたので、石油価格を下げなければいけないということで、石油の増産を働きかけるために訪れたわけです。

しかし、すでにＯＰＥＣプラス（ＯＰＥＣ加盟国に加えて、アゼルバイジャン、バーレーン、ブルネイ、カザフスタン、マレーシア、メキシコ、オマーン、ロシア、スーダン、南スーダンの10カ国）のなかで、「原油は減産する」方針が決まっていました。それにもかかわらず、バイデン大統領は「増産してくれ」と石油価格に介入してきたんですね。

折しも、そのタイミングというのが、アメリカの中間選挙前でした。そのため、中間選挙でアメリカ国民から支持を得たいがためにガソリン価格を下げようとしているのか――とＯＰＥＣプラスはとらえた。ＯＰＥＣプラス各国は、アメリカに対して反対の意を示し、そのまま増産することなく既定路線だった減産に舵を切ったといったことがありました。

すでに既定路線で決まっていたことですから、OPECプラスの判断は妥当でしょう。ところが、面子《メンツ》を潰されたと解釈したバイデン大統領は、**OPECプラスのトップであるサウジアラビアを名指しで「報復する」と言ってしまいました**。

アメリカとサウジアラビアは同盟国です。トランプ大統領のときは、サルマン国王やサルマン皇太子と仲睦まじく1枚の写真に収まることが多かった。そうした関係性を築いてきた同盟国に対して、報復という言葉を使ったわけですから、サウジアラビアも当然怒りをあらわにします。

恥をかかされたからといって、言っていいことと悪いことがありますよね？

ましてや一国のトップが、そんな言葉を使うのはどうかしている。バイデン大統領というのは、人権問題を得意としているにもかかわらず、こうした言動から察するに、とても高圧的な人に見えてしまいますよね。

不信感はいくつも束になっていくことで爆発します。中東という地域は、長年にわたってしいたげられてきた場所でもあります。アメリカ、西側諸国は、中東の人々が不信感を募らせるだけのことをやってきた。

次項からは、その説明をしましょう。

12

国境が直線なのはなぜ？パレスチナ問題

近現代史を振り返ったとき、中東では多くの戦争が勃発しています。そのため、中東は過激な思想を持つ人々が暮らす危険な地域といったイメージを抱く人もいると思うのですが、そんなことはないんですね。

どうして戦争が起きるのか？

物事には必ず原因と始まりがあります。

世界地図を見たとき、アフリカもそうですが、**中東の国々は直線的に国境線が引かれている**と思いませんか？

たとえば、僕たちが暮らす日本で、○○県と△△県の県境が直線で分けられてい

●中東の国境線

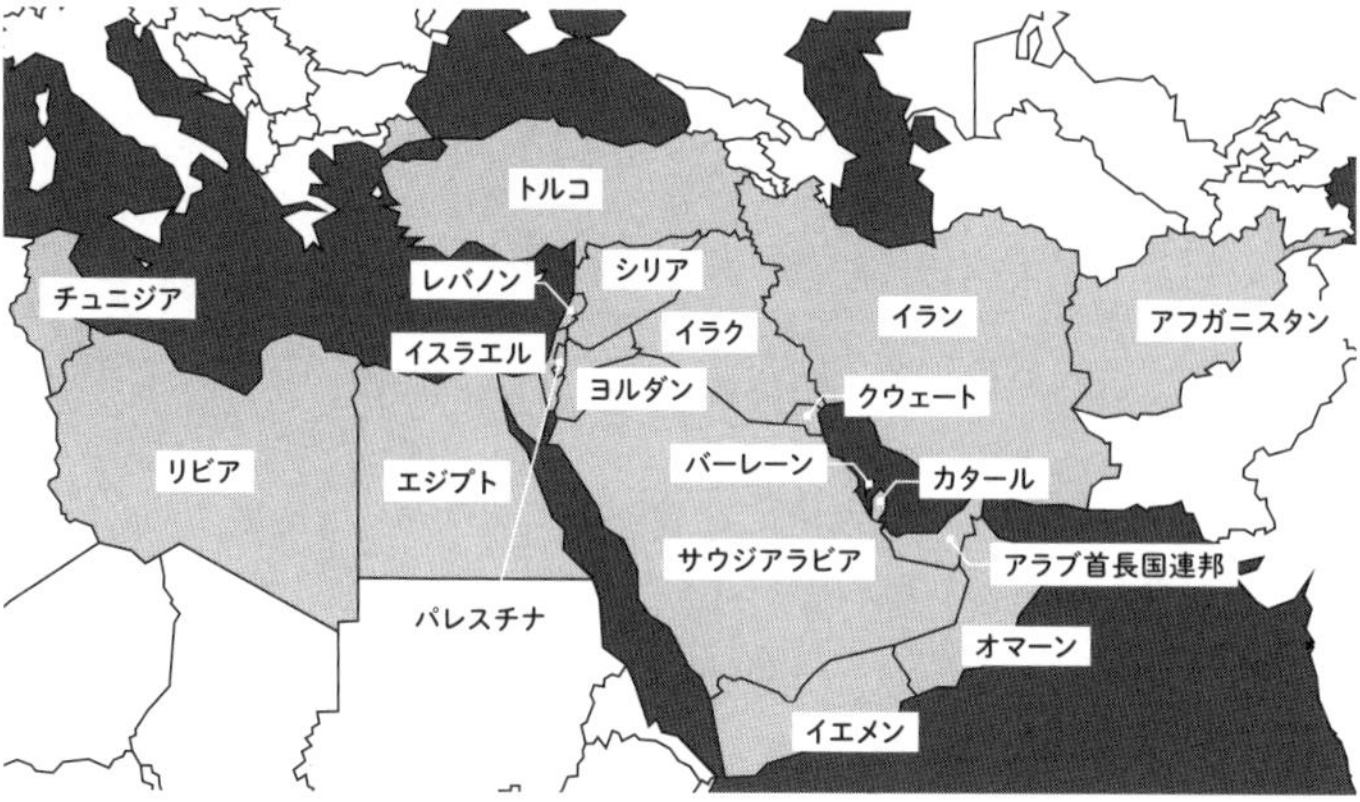

ることなんてないですよね。山地だったり河川だったり、自然の地形に沿う形で県境が引かれているはずです。

ところが、中東を見ると不自然に、まるで人工的に引かれたような国境線がたくさんあります。これこそ西側諸国がこの地域を牛耳《ぎゅうじ》っていたことを物語る証拠。**中東がいまにいたるまで戦火に包まれるようになった原因は、西側諸国にあるんです。**

西側諸国は、その資本力と技術力で真っ先に世界の先頭に立った国々です。18世紀のイギリスで産業革命が起こると、西側諸国では工業化が進み、製造業が発達しました。繊維工業などの軽工業から始まり、やがて重工業が発展すると、生産性が大幅に向上し、人々の暮らしは劇的に変わります。都市部に人口が集中し、郊外も成長していく。

そして、労働者階級が生まれることで、彼らは労働運動を通じて力を持ち、やがて社会主義運動などに発展するようになります。科学技術も進歩し、軍事技術の発達へとつながる。

物資の貿易や資本の移動が大きくなることで、次第に植民地獲得競争が激化し、帝国主義が台頭するようになりました。

1914年6月、セルビアの民族主義者によってオーストリア皇太子夫妻が暗殺されたサラエボ事件をきっかけに、**第一次世界大戦**が勃発します。ロシア、ドイツ、フランス、イギリスなどの列強が次々と参戦する背景には、同盟関係と植民地の確保などの利権をめぐる対立がありました。

このときイギリスは、ロシアやフランスと同盟関係にあったため、ドイツに対して宣戦布告をします。オスマン帝国がドイツの同盟国であったことで、オスマン帝国に侵攻していくことになります。その裏には、**勢力圏拡大の意図があった**ことは言うまでもありません。

そして**イギリスは、オスマン帝国に勝利するために、異なる相手と3つの協定を結ぶ**んですね。

1つ目が、1915年に締結された「**フサイン・マクマホン協定**」。

この協定は、イギリスが戦争に勝ったらパレスチナという土地にアラブ人の国をつくるという、アラブ人との約束でした。そのため、アラブ人はこの大戦に巻き込まれることになります。

2つ目が、1916年に締結された「**サイクス・ピコ協定**」です。

この約束は、イギリスが同盟国であるロシア、フランスと約束したもので、戦争に勝ったらオスマン帝国のアラブ人地域をこの3国で分けるという協定でした。

具体的には、イギリスはシリア南部とイラクの大半を含む南メソポタミアを。フランスは、シリアやレバノン地方とアナトリア南部、イラクの一部を。日産の元会長であるフランス国籍を持つカルロス・ゴーンが、レバノンに逃亡したというニュースがありましたが、このエリアにフランス系が多いのは、第一次世界大戦の

●イギリスによる三枚舌外交

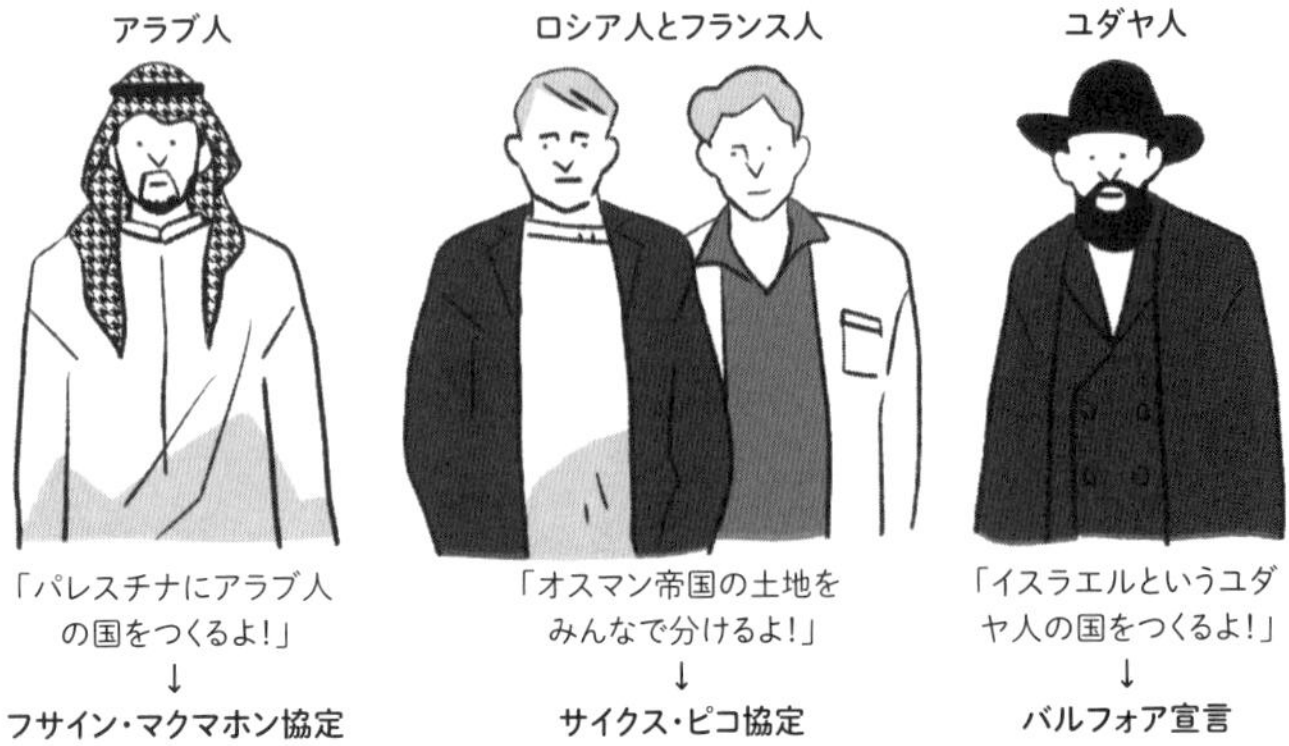
アラブ人
ロシア人とフランス人
ユダヤ人
「パレスチナにアラブ人の国をつくるよ!」
↓
フサイン・マクマホン協定
「オスマン帝国の土地をみんなで分けるよ!」
↓
サイクス・ピコ協定
「イスラエルというユダヤ人の国をつくるよ!」
↓
バルフォア宣言

名残《なごり》なんですね。

そして、ロシアは、黒海東南地域を譲渡されるという約束でした。

最後が、1917年の「**バルフォア宣言**」です。

金融業界で大きな力を持っていたユダヤ人の協力を得るために、イギリスが勝ったらイスラエルというユダヤ人の国をつくりますと約束をした。

1年前の「サイクス・ピコ協定」の際、イギリスはパレスチナを含むエルサレム周辺地域を国際管理地域とするという約束をしたのですが、その地を利用しようと目論《もくろ》んだわけです。

1つ目の約束と、3つ目の約束をもう一度確認してください。

イギリスは、パレスチナにアラブ人の国をつくると約束する一方で、ユダヤ人にも、国際管理地域にするはずだった土地（パレスチナを含むエルサレム周辺地域）にユダヤ人の国をつくると伝えた。

今日まで続く、イスラエルとパレスチナ問題は、このときのイギリスの「三枚舌外交」による瑕疵《かし》（傷）として100年以上続いているんです。

13 石油は儲かる——ターゲットにされた中東

第一次世界大戦が終わると、イギリスの約束違反が明らかになり、アラブ世界とイギリスは禍根《かこん》を残す形になります。

1920年4月に、「**サンレモ協定**」と呼ばれる、イタリアのサンレモで行われた会議のなかで締結された協定があります。

第一次世界大戦後のイギリス、フランス、イタリア、日本、ギリシア、ベルギーの各国が、戦後処理について話し合ったヴェルサイユ条約の実施、さらには中東の石油と委任統治の問題を討議するための会議でした。ヴェルサイユ条約によって、ドイツはすべての植民地を失い、多額の賠償金を課されることになります。

その結果、後にドイツ国内でアドルフ・ヒトラーが頭角を現すことになります。

では、そのドイツと同盟関係にあったオスマン帝国領のアラブ民族居住地域はどうなったのか？　国際連盟（当時）の委任統治領として、イギリスとフランスが分割管理することが決まり、まさしく先ほどの3つの約束が果たされたわけです。

フランスは、敗戦国ドイツに代わりメソポタミア（現在のイラク）の石油利権を持つトルコ石油会社の株を25％取得するとともに、シリア経由の地中海向けパイプライン建設を認められます。中東におけるイギリスとフランスの勢力圏は明確となり、委任統治体制が確立していきます。

一方で、イギリスとフランスによる石油利権独占に対し、アメリカは門戸開放や参入機会の均等を訴え強く反発します。結果的に**両国は、この地におけるアメリカの参入を認める**ようにもなっていきます。イギリスの三枚舌外交に加え、戦後処理を行ったサンレモ協定も、中東社会に大きな影響を及ぼすことになるのです。

こうした状況のなかで、ほかのアラブ諸国は独立、建国していきます。

先述したように、アラビア半島では、サウード家がイギリスの後ろ盾を得て建国されたハーシム家を破り、アラビア半島の大部分を統一。その後、各民族・人民が自らの意思によって運命を決定する政治原理（民族自決）を尊重するアメリカの手助けを受け、合弁会社サウジアラムコを創設することになります。**アメリカがこの地に眠る石油目的で手を差し伸べた**のは言うまでもないでしょう。

サンレモ協定では明確に石油利権について話し合われているわけですから、石油は新たなエネルギーとして列強から狙《ねら》われる存在になっていたことは明白です。**近代化によって国力を増大した西側諸国が、まだまだ未開の中東に進出し、資源を手中に収める。**

20世紀は、こうした構造があることを覚えておかなければいけません。

かつて、15世紀に始まった大航海時代にポルトガルやスペイン、オランダ、イギリスといった列強が南北アメリカやアジアなどを植民地にしたように、何百年経っても彼らの思考は変わらない。弱い者から奪う。それが列強と言われる国のやり方なんですね。

簡単に、石油産業についても振り返っておきましょう。

石油産業は、１８５９年にアメリカ・ペンシルベニア州タイタスビル近くのオイルクリークで、出油に成功したことを始まりとします。エネルギー源となる石油産業は急速に成長し、その後、巨大産業化していくのですが、そのキーマンこそ、かの有名なジョン・D・ロックフェラーです。

アメリカでロックフェラーが石油ビジネスに目をつけたのと同時期、ロシアの石油産業も発展していきます。

1887年には、**ロシア灯油が世界17カ国でアメリカの灯油と競争するまでに成長し、その後押しをしたのが、後にノーベル賞のもとになるスウェーデンのノーベル兄弟とフランスのロスチャイルド家**（国際的な銀行家を確立したユダヤ人の富豪）でした。そして、イギリスの貿易商マーカス・サミュエルがロスチャイルドとの間で、**1900年を期限とするロシア灯油の独占販売契約を締結し、1897年にシェル運輸貿易会社を設立する**ことになります。

さらには、1908年、イギリス人のウィリアム・ノックス・ダーシーがペルシア（現在のイラン）で最初の油田を発見し、翌年に後のブリティッシュ・ペトロリアム（現在のBP）の原形であるアングロ・ペルシャン石油会社を設立します。

● セブン・シスターズ

企業名	資本元
エクソン（後にモービルと合併して「エクソンモービル」に）	アメリカ（ロックフェラーが創業）
モービル（後にエクソンと合併して「エクソンモービル」に）	アメリカ（ロックフェラーが創業）
シェブロン	アメリカ（ロックフェラーが創業）
シェル	オランダとイギリス
アングロ・ペルシャン	イギリス
テキサコ	アメリカ
ガルフ	アメリカ

イギリスが「サイクス・ピコ協定」で、イランのお隣である南メソポタミアを欲しがったのも合点がいきますよね。

その後、アメリカでも油田の発見が相次ぎ、テキサス燃料会社（後のテキサコ）、ガルフ石油会社といった企業が設立されます。

このように、アメリカやイギリス、ロシアが有する国際石油企業が急速に成長していくなかで、中東の産油国はあくまで搾取される側として甘んじていたんです。

実際、20世紀初頭には国際石油企業は7大メジャーズ（通称セブン・シスターズ）

と呼ばれる企業が掌握し、そのメンツはエクソン、モービル、シェブロン、シェル、アングロ・ペルシャン、テキサコ、ガルフという具合に、ロシアを除けば欧米が牛耳る状況だったことが分かります。

第一次世界大戦では、戦闘機や戦車などが台頭します。そのためのエネルギーとして石油は、喉から手が出るほど欲しい存在でした。

資源獲得という側面もはらんでいき、石油が眠る中東は格好の狩場として狙われ、「サイクス・ピコ協定」のような西側諸国ファーストの約束が定められてしまう。**石油が眠る場所や石油の供給ルートは列強から狙われ、争いの火種となる。20世紀の戦争は、石油と切っても切れない関係**というわけです。

14 「ハマスのテロ以前」は何が起こっていたか

歴史はいまに続いています。こうした過去があることを考えて、現在の国際情勢を眺めなければいけません。

2023年10月7日にハマスによるイスラエルへのテロ行為が行われました。繰り返しますが、テロ行為は絶対に許されるものではありません。しかし、時に怒りは冷静さを忘れさせ、視点をぼやけさせてしまいます。

ここで大事なことは、**10月7日以前に何が起こっていたか**ですよね。そもそも中東の混乱は、いまに始まったことではないわけです。

第一次世界大戦後、イギリスはパレスチナ地域におけるユダヤ人の国家建設を支持します。

第二次世界大戦では、ナチスによるホロコースト（ユダヤ人大量虐殺）を受け、ユダヤ人国家樹立への機運が高まりました。「シオニズム」と呼ばれる、パレスチナ地域にユダヤ人の祖国を建設することを目指した思想も急速に高まっていきます。

そして、第二次世界大戦後の1947年、**国連決議によってパレスチナ地域をユダヤ人国家とアラブ人国家に分割することが決まり、翌1948年の5月14日にユダヤ人たちはイスラエルの建国を宣言**します。このとき、もともとその場所に暮らしていたアラブ人たちは分割に異を唱え、結果的に周辺アラブ諸国がイスラエルに攻め入る形で第1次中東戦争へと発展してしまいます。

結果、何が起きたか。

普通に暮らしていた約70万人ものパレスチナ人が戦火に巻き込まれ、土地を追われ、難民となってしまいます。パレスチナ人はイスラエル建国の翌日である5月15日を、アラビア語で「大惨事」を意味する「ナクバ」と呼んでいます。

僕は、「越境3・0チャンネル」のなかで、ワリード・シアム駐日パレスチナ大使と対談をしています。大使から語られる言葉は、とても重く、物事の前後を知らなければ、正しく事実を紐解くことはできないとあらためて確認しました。

大使は、次のように話していました。

「パレスチナは何世紀にもわたって占領を続けられてきました。最後の支配は、オスマン帝国でした。しかし、その時代、私たちには空港や港、鉄道があり、キャデラックだって走っていたんです。たくさんの車がありました。つまり、パレスチナにはたくさんの人が暮らしていたんです」

僕らが知らないだけで、この時代のパレスチナは経済も順調だったそうです。しかし、第一次世界大戦後、イギリスがやってきます。

「サンレモ協定によって、パレスチナはイギリスの委任統治になります。イギリスの委任統治は、そこで暮らす人々を保護し、パレスチナ人の主張と独立のために準備することが使命でした。そのため占領することはなかったです。宗教についても、パレスチナではユダヤ教、キリスト教、イスラム教、ほかの宗教の人たちも一緒に住んでいて、異なる宗派同士であっても問題なく結婚することもできました」

ところが、第二次世界大戦の足音が聞こえ始め、ユダヤ人がヨーロッパで迫害され始めると空気が変わっていきます。

「当時、アラブ世界でのユダヤ人は、オスマン帝国下のパレスチナにおいては平和的に暮らしていました。社会の一部として平和に暮らしていました。しかし、迫害されたユダヤ人の難民たちがヨーロッパからパレスチナへやってきました。その難民のために、私たちは土地を与えました。ところが、その難民たちは私たちに攻撃を始めました。さらに、**彼らはパレスチナで土地を購入したいと訴え、イギリスはそれを許可してしまった**のです」

パレスチナ人は彼らが土地を購入することに対して反対していた。だけど、イギリスが認めてしまったことで、お金にものを言わせたイスラエル人たち、何千人もの違法難民の人たちがパレスチナに流入してきたといいます。

「そして**彼らは武器を持って、我々を襲うようになった**のです」

●パレスチナの地図

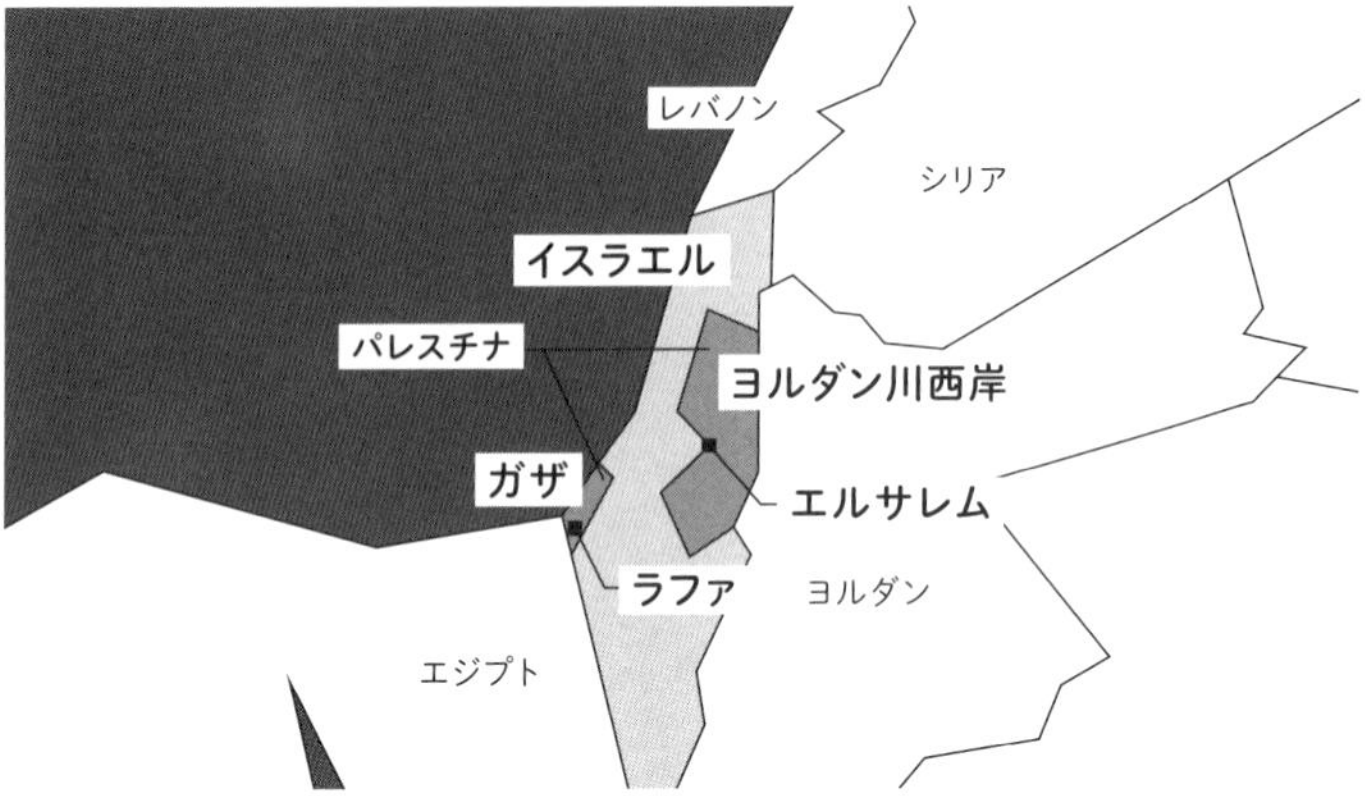

第1次中東戦争によって、約70万人のパレスチナ人は居住地を失い、ヨルダン川西岸地区やガザ地区、近隣諸国に逃れました。住民がいなくなった町や村は破壊され、ユダヤ系住民が住むようになりました。どうしてパレスチナが飛び地（ガザ地区とヨルダン川西岸地区）になっているか、それはこのとき避難してきた人たちが散り散りになったからなんですね。

パレスチナ人は難民キャンプで困窮した生活を強いられ、国連総会は1948年12月に難民の帰還や補償を求める決議を可決しました。しかし、イスラエルはこれを一貫して拒否してきました。いまも、ずっとです。

15 言ってることとやってることが違うアメリカ

75年前、国際社会はパレスチナを独立国家として約束しました。しかし、**いまなおその約束は果たされていません**。

もう少し、イスラエルとパレスチナの関係について書いておきましょう。こうした歴史の事実は、決して対岸の火事ではないからです。

1947年の国連決議によってパレスチナ地域が2つの国に分割されたとき、イスラエルは現在の国土とは違いました。先に説明したように第1次中東戦争によってパレスチナの一部を手中に収めます。

そして、1967年の第3次中東戦争でイスラエルはシリアの一部だったゴラン高原（当時はシリア高原）を占領します。1973年の第4次中東戦争でシリアが一時的に奪還するものの、すぐにイスラエルが再占領し、1981年、イスラエルは一方的にゴラン高原の併合を宣言してしまいます。

その際、国連安全保障理事会はこの併合を認めず、ゴラン高原はシリアの領土と見なしています。いまなお、ほとんどの国際社会では、イスラエルの主権を認めていないんですね。

ところが、イスラエルは入植を続け、いまではイスラエル（支配地域）で唯一のスキーリゾートがあるような場所になっています。

1993年、ホワイトハウスで行われたイスラエルのラビン首相とパレスチナ解放機構（PLO）のヤセル・アラファト議長の間で締結された歴史的な合意を「**オスロ合意**」と言います。

このとき、パレスチナ自治暫定政府の設置とイスラエル軍のガザ地区とヨルダン川西岸地区からの段階的撤退、5年以内に最終的地位交渉（国境、難民問題、イスラエル入植地の取り扱いなど）を行うこと、平和的解決を目指すことなどが決められました。

2国家共存の道筋をつけた歴史的な合意でした。

しかし、その1年後、ラビン首相は、和平反対派のイスラエル人青年に暗殺され

● パレスチナ・イスラエルの国土の変遷

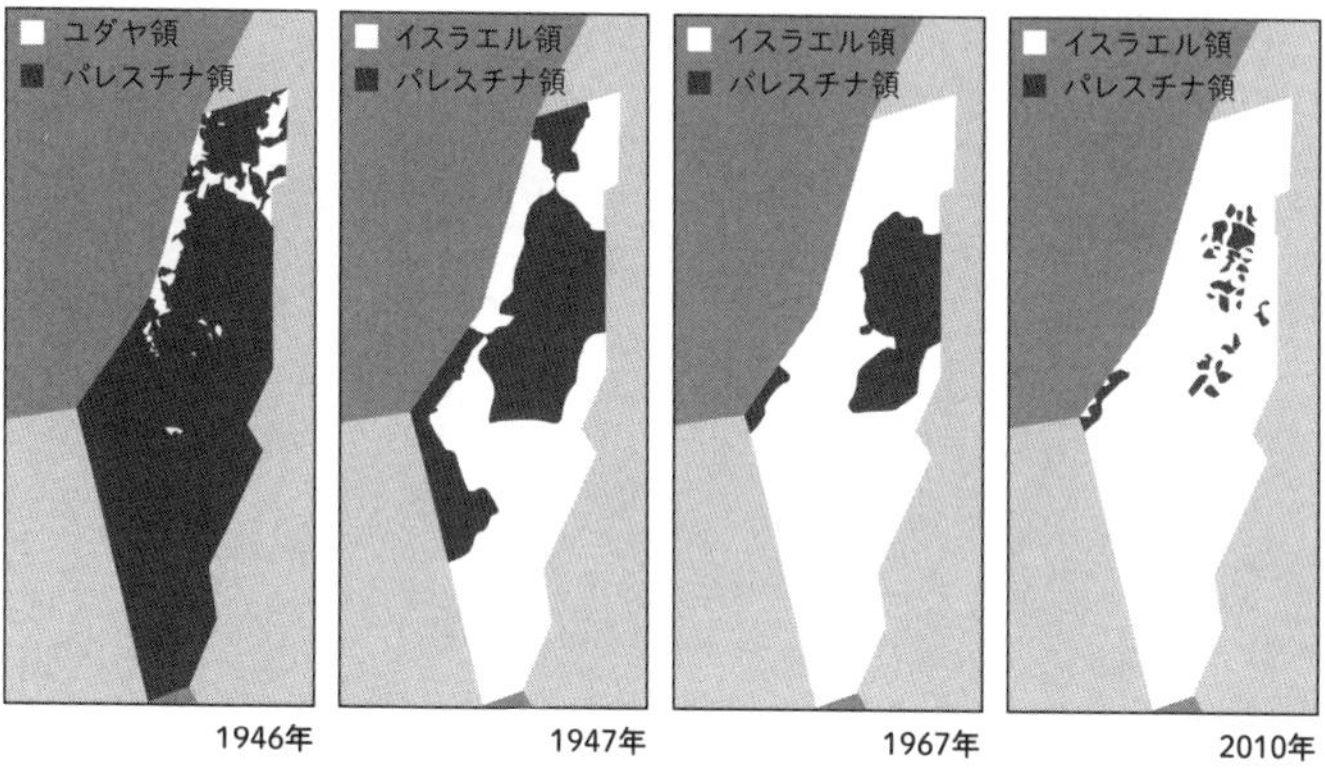

てしまいます。

イスラエルのなかには、**アラブ諸国と仲良くやっていこうという流れと、断固として拒否するという流れ、穏健派と過激派がある**ということです。そして、現在のイスラエルのネタニヤフ政権は、断固として拒否する極右政党が連立政権内で大きなポジションを占めているため、非常に危険な政権になっています。

イスラエルはヨルダン川西岸地区への入植を繰り返してきたのですが、2022年末に誕生した第6期にあたるネタニヤフ政権は、前述した極右政党などとの連立政権としてなんとか政権を保持した格好でした。以降、入植活動はエスカレートし、イスラエル軍はパレスチナ人の住居やお店を強制退去させていました。

トランプ前大統領が仲介したアブラハム合意には、ヨルダン川西岸地区への入植をストップするという約束があり、実際、入植活動は停止していました。しかし、バイデン大統領になると再開。**イスラエルが行っていることは国際法違反ですが、アメリカは見て見ぬふり**です。

だからといって、ハマスのテロ行為は許されるものではありません。しかし、ここにもミスリードがあります。

パレスチナには、「**ファタハ**」と呼ばれるパレスチナ解放機構（PLO）の一部で世界中すべてのパレスチナ人を代表する組織と、宗教的な組織として武力を行使することを辞さない「**ハマス**」という過激な組織が存在します。オスロ合意の際に、イスラエルもPLOをパレスチナ住民の代表として承認しているほどです。つまり、国際舞台でパレスチナを代表する人たちは「ファタハ」というわけです。

パレスチナとイスラエルは2国家共存を目指した……と言えば聞こえはいいですが、その実態は大きく異なります。僕が対談したシアム駐日パレスチナ大使は、こ

う説明してくれました。

「パレスチナはイスラエルの占領下にあります。水や食料、電気などのエネルギーを含め、ガザ地区とヨルダン川西岸地区の98％は、イスラエルから買わなくてはなりません」

パレスチナは事実上、イスラエルの占領下にあるというわけです。

この状況はイスラエルの建国以降、段階的につくられてきたことで、そのなかで独立するためにファタハとハマスは生まれたわけですが、この2つの組織はイデオロギーが異なります。

平和的解決を望むファタハ。
対して、**武力による解決を目指すハマス。**

このうち、後者はガザ地区を支配していました。そして、2023年10月7日に悲劇が起きてしまった。そのためファタハは強い言葉でハマスを非難しています。決して、**パレスチナ＝ハマスと読み間違えてはいけません。**

イスラエルも同様のことを喧伝《けんでん》しています。今回の出来事を語る際、彼らの主語は必ず「ハマス」です。パレスチナ人ではなく、ハマスをせん滅すると宣言しているんですね。我々はパレスチナの民間人を守るためにハマスを根絶やしにすると。

一見すると、イスラエルに正当性があるように思えますよね。ですが、僕が説明してきた背景を思い出してください。

そして、10月8日以降にイスラエルがやってきたことを。

パレスチナの民間人の死亡者は3万7000人（2024年6時点）を超え、そのうち72％は女性や子どもたちです。

これまでガザに投下された爆弾は7万7000トンを超えると言います。国連と3つのイスラエル非政府組織が作成した報告書によると、ガザに投下された爆弾の70％が劣化ウランで処理されたものだと言います。つまり、ガザの土地はウランで高度に汚染されていて、**天然の放射線が60％含まれるため、450年後まで残り続ける**と予測されています。

4～50年ではありません。450年です。

そして、爆発時に放出された劣化ウランの煙によって、ガザで暮らす人々の体にがんを植えつけているとも言われます。

さらにはイスラエルから水の供給がないため、現在、ガザ南部のラファにいる人々は海水を飲んでいると、シアム駐日パレスチナ大使は教えてくれました。きれいな水ではないので、C型肝炎になってしまうそうです。

ハマスをせん滅すると言いながら、体よくパレスチナの民間人の命を削っている。そんな事実があるんです。

イスラエルの人々も、手段を選ばないこうした行為を望んでいるわけではありません。2024年3月には、ネタニヤフ首相の退陣を求める大規模デモが発生したほどでした。イスラエルの〝まとも〟な人々は、いまのイスラエルが異常だと理解しています。そして、このままでは国際社会から孤立するのは、イスラエルだと分かっています。

事実、中南米ではイスラエルとの断交ドミノが起きています。ボリビアに続いてコロンビアがイスラエルと断交し、チリやホンジュラスなども続くと予想されています。グローバルサウスは明確に、イスラエルに「NO」を叩《たた》きつけているんです。

こうした動きもあり、現在ではアメリカも非難の姿勢を強めています。それもそのはずです。人権問題を掲げるバイデン大統領からすれば、イスラエルの蛮行は、自身のポリシーに反するものですよね。

アメリカでは、イェール大学、ニューヨーク大学、コロンビア大学、ハーバード大学などで、パレスチナ支持のデモが行われるまでに発展しています。**バイデン大統領のダブルスタンダードな姿勢と、イスラエルの行き過ぎた行動は、明らかにおかしい**からです。

今年（2024年）11月に大統領選挙を控えるバイデン大統領は、そうしたデモを抑制するためにも、イスラエルに対して民間人保護や人道状況改善の具体的措置を求めています。

でも、イスラエルの支持はやめません。もっと言えば、日本を含めた西側諸国全体は、いまだ親イスラエルの態度を取り続けています。

「パレスチナの民間人のために、危険なテロ組織を排除する。そのためにイスラエル、がんばれ」

そう言って資金や武器の提供を続ける。

そんなことをするよりも、75年前の約束であるパレスチナという国家を認め、彼らが独立できるように支援すればいいのにと思うのは、僕だけでしょうか。もっと早くから支援していたら、こんなことにはなっていないですよね。

危険なテロ組織をせん滅すると言い、結果、その土地に住んでいた民間人が路頭に迷う。そして何もなくなった場所で、自分たちに都合のいい統治を始める。

敗戦し、焼け野原が広がった僕たち日本人は、この気持ちが痛いほどよく分かるはずです。

16

戦争と搾取と説教——アメリカは信頼できない

中東の混乱と格差は、外圧によって生まれた——パレスチナの例を取っても、それがよく分かると思います。しかし、パレスチナだけではありません。中東では同じようなことが何度も繰り返されているんですね。

2001年の9・11同時多発テロ（イスラム過激派組織アルカーイダが旅客機を乗っ取り、ニューヨークのワールドトレードセンタータワーなどに突撃して破壊した歴史的事件）を受け、アメリカはアフガニスタンのタリバン政権を倒します。イラク、イラン、北朝鮮を「悪の枢軸」と非難するようになり、ついには「イラクが大量破壊兵器を隠し持っている」との理由から、2003年にイラク戦争を開始します。

ジョージ・W・ブッシュ大統領（当時）はフセイン政権の瓦解に成功しますが、大量破壊兵器を見つけることはできませんでした。結局、この戦争はイラクが持っていた資源をアメリカが狙った戦争だったのではないか、などと揶揄《やゆ》される結末を迎えます。

サダム・フセインと聞くと、僕たちは独裁者といったイメージを抱くと思います。たしかに、フセインは独裁者でした。

ですが、**イラクという国は第一次世界大戦後に、西側諸国によって勝手に国境が引かれてしまったため、多宗教かつ多宗派が混在する国になってしまいました。**特に、イスラム教スンニ派、イスラム教シーア派、クルド人の3つの勢力がぶつかり合う、とても緊張感を伴う国となってしまいました（スンニ派とシーア派については第3章で紹介します）。

そういう国では、フセインのような強権政治は一定の安定をもたらします。独裁かもしれないけれど、誰も歯向かわなくなれば、結果的に争いは起こらない。フセイン時代のイラクは、クルド人を弾圧しているといった非人道的な問題こそありますが、国境では軍隊が目を光らせ、テロリストが生まれるといった環境も許さなかったんですね。

しかし、イラク戦争によってフセインは拘束され、処刑されます。良くも悪くも漬物石のような重石《おもし》がなくなると、ここぞとばかりに好き勝手なことが起こり始め、部外者が侵入してきます。

フセインは、クルド人だけではなく、国民の半数以上を占めるシーア派も抑圧することで政権を維持してきました。フセイン政権の上層部と官僚は、フセインと同じくスンニ派で固められていたからです。

ところが、そのフセインがいなくなったことで、イラクでは何が起きたか？　**いままで抑圧されていたシーア派の鬱憤《うつぷん》が爆発し、上層部と官僚たちをはじめとしたスンニ（派）狩りが始まってしまった**のです。

シーア派がスンニ狩りを始めていくなかで、スンニ派の人たちは生き延びなければいけません。素手で戦うというわけにはいかない。彼らはアメリカ兵が置いていった武器を手に取り、武装化していきます。フセイン政権の幹部として動いていた人間たちを中心にして**スンニ派の人たちが武装化する――その組織が、いまのIS（イスラム国）**なんですね。

アメリカはフセインを処刑し、彼に代わる新しい民主主義政権をつくろうとしました。復興支援を主導し、イラク臨時統治当局を設置したものの、国内の混乱は収まらず、ずっと不安定なままです。2021年に新政権が発足しましたが、内紛は激化し、約18万人もの国内避難民が発生しています。2024年4月にもバグダッドのモスクで自爆テロがあり、18人が死亡しているほどです。

僕は、一度だけイラクに行ったことがあります。そのとき出会ったイラク人のほとんどが、**「サダム・フセインの頃のほうが平和だった」**と話していました。

アメリカのアフガニスタン侵攻も似たような結末を迎えます。

アメリカはアフガニスタンのタリバン政権を崩壊させるべく、アフガニスタンに侵攻します。開戦から2カ月ほどでタリバン政権を倒しますが、その後もアルカーイダやタリバンとの長期的な対テロ戦が続き、泥沼化していきます。

結局、アメリカ軍は2021年に完全撤退し、タリバンが再び実効支配を確立しました。

つまり、この侵攻は一時的にタリバンを追放したものの、その後20年近くにわたる長期的な対テロ戦を強いられ、最終的にはタリバンの復権を許すという、民間人が最大の被害者になっただけの侵攻ということになります。

アメリカは、タリバン政権を倒し、正しい民主主義国家をつくるとうたっていましたが、いまアフガニスタンはどうなっていますか？

イラク戦争の戦後処理に対して、アメリカとヨーロッパは、「大量破壊兵器は見つかりませんでした。アメリカのミスでした」と政策を間違えたと謝罪していま す。でも、その謝罪は、あくまでアメリカ国民に対する謝罪であって、イラクに対する謝罪ではないんですね。**その難民たちが、いまヨーロッパに流入し、社会問題と化している**のは、寓話《ぐうわ》のようなお話です。

中東にとってアメリカは、戦争と搾取と説教——3Sをし続けた存在でした。戦争を起こされ、石油を搾取され、そして人権問題を直せと強制的に指導される。誰だってうんざりすると思います。

自分たちの家庭のなかで問題が起こっているのに、知らない誰かが「それはよくない」と騒ぎ立て、勝手に介入してくる。家のなかをひっくり返したかと思えば、「弁護士を立てるから安心しろ」などと都合のいい正義を振りかざし、これまた勝手に算段をつけ始める。結局、何も解決しないまま、その家から立ち去る。住んでいた人は散り散りになる。アメリカが中東で行ってきたことは、この繰り返しです。

イスラエルとアメリカは、２０２４年、パレスチナ人がいなくなったガザに港の建設を開始しています。この港は、５０００億ドル規模のガザ沖合油田・ガス田から32マイル（約50キロメートル）の距離に位置します。説明しなくても、イスラエルの意図が分かりますよね。

シアム駐日パレスチナ大使が、こんなことを話してくれました。

「ガザ駐屯地計画（Plan for Post of Gaza）と呼ばれる、アメリカとイスラエル軍によって作成された文書があります。『多国籍機関が国際連絡グループを監督して、国際警察部隊が一時的にガザを管理する。ハマスの支配を排除し、文民統治を開始し、物理的及び社会的な再建を行う。ガザによりよい生活を提供すると述べ、地元パレスチナの人々への移動の制限と統治安全保障責任への移行を開始する』といったことが３１１ページにもわたって計画されています。**アメリカは口では平和的解決、２国共存を主張していますが、実際にはこうした報告書や研究を書き、イスラエルがすべてを取らなければならないと支援している**わけです」

第三者が管理することで平和的解決に導くようにも映りますが、この内容にパレスチナの自治権はありません。結局、アメリカとイスラエルが体よくパレスチナをコントロールするための便宜上の復興計画にすぎません。

大使は、こう続けます。

「現在、パレスチナだった領土は、イスラエルが78%、パレスチナが22%になってしまった。しかし、私たちは22%でいい。それでいいとサインもしました。それでもイスラエルは侵略と虐殺をやめません。彼らは、神が自分たちに土地を与えたと言います。しかし神は、不動産会社ではありません。神は、『ここは日本だ』『ここは中国にしよう』『こっちはロシアと名づけよう』、そんなことはしません。**神が私たちに土地を与えたのではなく、私たちが国境をつくったの**です。神は関係ありません。彼らは歴史を改ざんしたのです。**私は22%を受け入れます。それ以上を求めません。だから、私たちを放っておいてほしい。**私たちを見たくないなら間に壁を築いてください。私たちは自由になりたいんです。それは、私たちの権利なのだから」

17 「さようならアメリカ、こんにちは中国」

アメリカは信用できない——。
積もり積もった不信感は、バイデン大統領の言動によって、爆発寸前というところまで来てしまっています。

2023年3月、**〝犬猿の仲〟と呼ばれるほど関係が悪化していたサウジアラビアとイランが歴史的な和解を遂げました。**

両国は、もともと仲がよくなかったのですが、さらに関係が悪化したのは2016年にサウジアラビア国内でイスラム教シーア派の指導者が処刑されたことに対して、シーア派が多数を占めるイランが激怒したことに起因します。

その結果、イランにあるサウジアラビア大使館が襲撃され、両国は国交を断絶してしまいます。そして、サウジアラビアはアメリカと蜜月の関係だったこともあり、イランはますます敵がい心をあらわにし、ロシアとの関係を深めていったという背景がありました。

サウジアラビアとイランはあちこちで代理戦争をしているような状況が続いていたのですが、電撃的に和解をしてしまった。そのテーブルをセッティングしたのが、中国の習近平《しゅうきんぺい》国家主席でした。

カタールの衛星テレビ局「アルジャジーラ」は、2023年6月6日のニュース記事で、こんな見出しをつけています。

「The Middle East: Goodbye America, hello China?(中東：さようならアメリカ、こんにちは中国?)」

和解に向けた中国の取り組みは、突然行われたというわけではありません。話は2020年までさかのぼるのですが、中国は湾岸地域の安定と安全のための提案を、国連安全保障理事会に提出しています。

中国は、ユーラシア大陸から中東、ヨーロッパ、アフリカに向けて貿易ルートをつなげる「一帯一路構想」を掲げています。そのためには、中東の安定と安全は欠かせません。**大陸のつなぎ目にある中東は、中国にとって今後、利益が得られるか否かの大きな分岐点になる**わけです。

そして、2022年12月に、習国家主席がサウジアラビアを訪問します。エネルギー、運輸、住宅分野で20以上の協定――、金額にして総額293億ドル以上と言われる協定に署名をしたのですが、これは脱石油を掲げ改革を進めるサウジアラビアにとって、中国が魅力的なパートナーに映った証左とも言えます。

このとき中国は、サウジアラビアがセッティングする形でGCC（湾岸協力理事会）加盟国6カ国との会談、アラブ連盟21カ国との会談までも行います。サウジアラビアが音頭を取る形で、「中国さん、ようこそ」といったムードをつくり出したほどでした。

この時点では、まだサウジアラビアはイランと国交正常化はしていません。安全保障を考慮すると、関係にヒビの入ったアメリカがサウジアラビアを守ってくれる保証はない。ですから、イランが脅威に映るわけですね。**アメリカには期待できない。そんな空気感が漂うなかで、サウジアラビアは中国と歩み寄ることを選んだ**とも言えます。

中東の盟主である**サウジアラビアが親中国の態度を取ったことで、中国は中東アラブ圏の国々を次々と味方につけていきます。**

中国は、石油を大量に消費する国ですから、湾岸諸国からすれば、より多くの石油を販売することにつながります。エネルギー貿易の拡大、さらには石油以外の経済の多角化を進めていきたい湾岸産油国にとって、中国の投資はインフラ設備においても理想的なパートナーでもあるわけです。

そして、年が明けるとすぐに中国は、サウジアラビアとイランの両国に、包括的戦略的パートナーシップという最上位の地位を与え、国交正常化を果たしてしまった――。極めてスピーディーな外交的手腕と言わざるをえません。アメリカがイランに課していた経済制裁措置を考慮すると、イランに対する中国の措置は、イランの経済的利益を約束するようなものです。

また、サウジアラビアもイランに積極的に投資を行っていくと明言しています。イランは、西側から経済制裁を受けているにもかかわらず、毎年ＧＤＰが４～５％ほどの成長率を遂げている国です。天然ガスも石油もある。おまけに人口も約

9000万人もいる。とてもポテンシャルが高いため、投資価値もおそろしく高い国なんですね。**第三世界に投資をすると公言しているサウジアラビアにとって、実はイランは魅力的な隣人でもあったのです。**

そして、中国にとっても安定的なエネルギー供給の確保と、一帯一路構想が大きく前進するわけですから、大きなメリットが生まれます。アメリカ離れが進んでいた状況下で、スピーディーに外交手腕を発揮した中国の嗅覚は、さすがとしか言いようがありません。

僕らの生活も似たようなものですよね。

組織やクラスのなかで、仲のいいグループがあるはずです。しかし、そのグループがだんだんと信用できなくなったとき、向こう見ずに爆発してしまうと、孤立してしまうのは自分のほうです。どれだけ自分が正しかったとしても、孤立してしまう＝味方がいない状況になれば、どんどん苦しくなってしまいます。

そうならないように段階的に物事を進め、新しい味方になってくれる人がいるのかを客観的に考えてみる。

アメリカからすれば、まさかサウジアラビアがこうした態度を取るとは夢にも思わなかったでしょう。元アメリカ国務省のアーロン・デビット・ミラーは、「中国の仲介によるイランとサウジアラビアの国交正常化は、〝バイデンへの中指〟と解釈されてもおかしくないことだ」と指摘しています。

つまり、**この3カ国は、明確にアメリカへ挑戦状を叩きつけた**ということです。

18 ロシアに「NO」と言わない第三世界

アメリカは、中東における自身の存在感は変わらないと主張していますが、中国の仲介によるイランとサウジアラビアの国交正常化によって一変したと言っても過言ではありません。

バイデン政権は、中東諸国がロシアと共謀しないように一部の中東諸国に対して圧力を強めていたのですが、中国が足元をすくう形でその座を奪ってしまいました。中国はロシアとの関係性も深いですから、アメリカの心中は穏やかではないはずです。

第三世界経済圏への進出の機会を虎視眈々《こしたんたん》と狙っているのは、ロシアも同じです。

ウクライナ侵攻によって、ロシアに対する経済制裁が行われていますが、実は制裁を課しているのは西側諸国のわずか数カ国であって、世界のほとんどの国はロシアへの経済制裁を行っていないという事実があります。

では、経済制裁を行っていない国々はどこかと言うと、南側に位置する新たな経済圏、つまり第三世界の国々です。

なぜ、第三世界の国々はウクライナ侵攻を行うロシアを否定しないのか？

そのためには、まずロシアのウクライナ侵攻の文脈を知る必要があります。前後を知ることは、パレスチナを例に取ってもとても大切なことだと分かると思います。

ロシアが侵攻したウクライナ東部のドネツク州とルハンスク州は、「**ドンバス**」と総称される地域です。実はこの場所は、もともとロシア帝国の一部でした。19世紀後半から産業が発展し、ロシア人労働者の流入が増え、現在もロシア系、ロシア人が住んでいる地域なんですね。

1991年のソ連崩壊に伴い、ウクライナがソ連から独立すると、ドンバス地域はウクライナの領土の一部となるのですが、ドンバスにはロシア系住民が多数いるため、民族的な対立の種がずっとあったわけです。

その後、ウクライナでは2004年に「オレンジ革命」と呼ばれる民主化運動が起こり、一気に民主化が進みます。半面、この民主化がロシアとの対立を深めるきっかけにもなり、2014年には、ロシアによるクリミア併合、ドンバスでの分離独立運動が勃発したほどでした。

そして、2022年2月、ロシアのウラジーミル・プーチン大統領はドンバスの独立を承認し、ロシア軍の進駐を正当化、侵攻を開始します。欧米諸国はこの主張を受け入れず、ウクライナを支援する形でいまも戦争が続いています。

ロシアはこれまでにも、2008年にジョージア国内にあるアブハジアと南オセチアの独立を承認しています。これらはあくまで未承認国家なので、何か起きたときに国際支援は入りません。

ですが、**ロシアとすれば親アメリカの国がすぐ隣にあることは脅威**です。緩衝材となる衛星都市を置くために、たとえ未承認国家であってもアブハジアと南オセチア、ドンバスのような地域をロシアだと主張するんですね。

ましてや、隣国ウクライナがNATO（北大西洋条約機構。西側諸国が加盟している）に加入することなどあってはならないこと。冷戦が終わったとはいえ、僕たちが想

● ロシア東側の近隣諸国

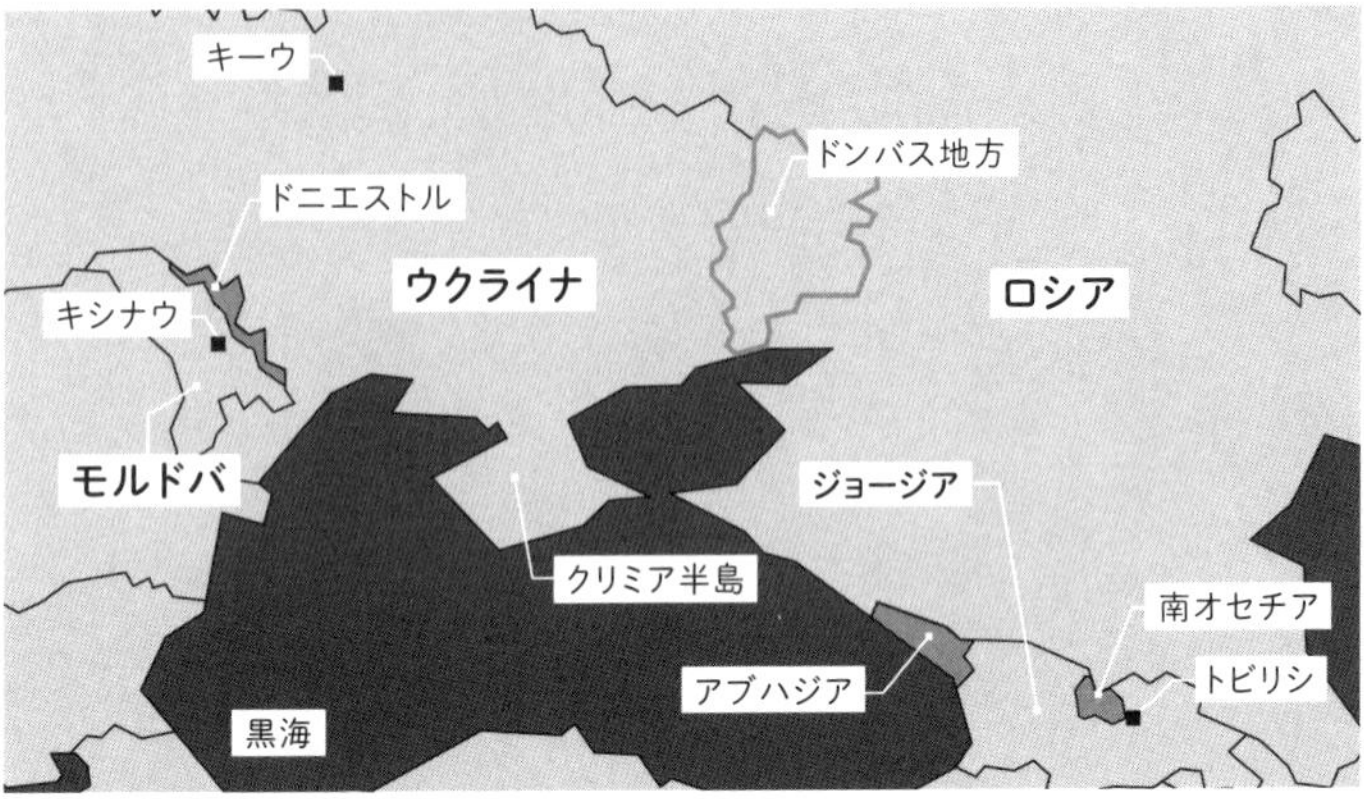

像している以上に、アメリカを含めた西側諸国と、ロシアの対立は続いているというわけです。

こうした背景があることに加え、第三世界が結束し、反アメリカ、反西側の態度を取る国が増えてきた。

武力による解決は許されるものではありません。しかし、第三世界の国々は、ロシアの主張に理解を示すとともに、ともに経済圏をつくるパートナーとして西側諸国よりも、ロシアと握手した。そのため、経済制裁をされたにもかかわらず、**自国のエネルギー輸出の好調や、非西側諸国との取引継続などにより、ロシア国内の経済は大きな打撃は受けていな**

いという現状があります。

むしろ、ロシアから運ばれる天然ガスのパイプライン「ノルドストリーム」を止められてしまったドイツは大変な状況になってしまいました。ドイツの経済力は、ロシアからの安い天然ガスを使用できたことが大きな一因となっていましたが、エネルギー供給難になってしまったことで、泣く泣くアメリカから価格が数倍もする液化天然ガス（LNG）を購入するようになってしまいました。

2023年のドイツの実質GDP成長率はマイナス0・4％（主要経済研究所の秋季合同経済予測ではマイナス0・6％）と予測され、主要先進国で唯一のマイナス成長となる可能性が高いとされるほどです。

ドイツは、まさしくロシアとウクライナの戦争の影響を間接的に受け、エネルギー危機と高インフレにより実質所得が低下するという負のスパイラルに陥ってしまいました。

アメリカの意見に同意した結果、自らの首を絞める形になってしまったというわけです。

19 第三世界のリベンジ「頼らなくてもいい」

欧米が世界の主導権を握ることができたのは、エネルギーを手中に収め、ドルという基軸通貨が確固たる地位を築いていたからです。前述したようにサンレモ協定によって、アラブ人が暮らす地域はイギリス、フランス、アメリカなどによって統治されます。

１９３０年代には、バーレーン、クウェート、サウジアラビアで大規模な油田が発見されるのですが、当時の産油国は、自分たちで掘る技術や精製する技術を十分に持っていませんでした。

そのため、先のサウジアラビアのように西側諸国とタッグを組むしかなかったという背景があります。欧米のメジャー系石油企業は、原油の公示価格を一方的に引き下げるなどコントロールできる立場にあったんです。

● OAPEC加盟国

1968年設立時	2024年現在（追加された国）
サウジアラビア	アルジェリア
クウェート	バーレーン
リビア	アラブ首長国連邦（UAE）
	カタール
	イラク
	シリア
	エジプト

（計10カ国）

しかし、徐々に産油国も技術や財政が追いついてきます。

そこで、石油価格の主導権を握られるのを防ぎ、自国の利益を守ろうという目的で、1960年にイラク、イラン、クウェート、サウジアラビアおよびベネズエラの5カ国が、石油輸出国機構（OPEC）を設立することになります。

さらには、1968年になるとアラブ諸国のみでアラブ石油輸出国機構（OAPEC）が設立され、**搾取されるのではなく、自分たちで国有化し産業として発展させていく**。そうした動きが活発になっていきます。

この時代、イギリスの石油資本と強く

結びついたことで、国内が西洋化に傾倒していったイランではイラン革命が起こります。詳しくは第3章で述べますが、この革命ももとをたどれば石油と西側諸国が大きな原因となっているんですね。

西側諸国が、まだまだ十分に近代化していない中東に進出し、あれこれおせっかいを焼き、その見返りとして資源を手中に収めていく。こうした身勝手な態度に、中東諸国は第一次世界大戦後から約１００年にわたって付き合うことになるわけです。「我慢の時代」とも言えるかもしれません。

自分たちに力があったら、こんなたかり屋みたいな人たちとは付き合いたくないと思うのが自然です。**力をつけてきたＢＲＩＣＳを筆頭とした第三世界は、いままさに、第一世界と距離を置き、自分たちだけでやりくりしていこうと歩き出しているん**です。

そして、実際にやりくりできることが、バイデン大統領の「ドルの武器化」によって示されてしまった――。

バイデン大統領の「ドルの武器化」は、大きなブーメランとなって第一世界に戻ってきています。

そして、僕たちが暮らす日本でも、物価高、円安といった影響が出ているように、この問題と無関係ではありません。

でも、**どうして僕たち日本は、盲目的にアメリカに従わなければいけないんだろう？　なぜアメリカを信用するんだろう？**

ドイツは追従した結果、経済が悪化し、アメリカからＬＮＧを買うまでになったというのに。

時代は下り、かつてセブン・メジャーズと呼ばれた石油企業にとって代わる存在として、近年は「**新セブン・シスターズ**」と呼ばれる７つの国営企業が急成長しています。

・サウジアラムコ（サウジアラビア）
・ペトロナス（マレーシア）
・ペトロブラス（ブラジル）

・ガスプロム（ロシア）
・中国石油天然気集団公司（ペトロチャイナ、中国）
・イラン国営石油会社（NIOC、イラン）
・ベネズエラ国営石油会社（ベネズエラ）

見事なほど、BRICSをはじめとしたグローバルサウスの国々で構成されています。セブン・シスターズが民間石油資本だったのに対し、新セブン・シスターズは国営石油会社が中心となっている点が大きな違いです。

石油輸出国機構ができたとき、搾取されるのではなく、自分たちで国有化し産業として発展させていくと、彼らは誓いました。半世紀が過ぎ、**その思いは実り、いまや辛酸を舐《な》めさせられた西側諸国にリベンジできるまでに成長している。**明確なヴィジョンを持ち、自分たちでやっていくんだという意思が、彼らにはあることが分かると思います。

第3章

「イスラム教は怖い」ってあなたの感想ですよね？

20

実はイスラム教徒が世界でめっちゃ増えてる

中東で争いが生まれる大きな要因は外圧によるものだということが分かってもらえたでしょうか。イスラム教が危険な思想を持っているから争いが絶えない——そうした解釈は正しくありません。

では、**イスラム教とはどのような宗教なのか**、この章で深掘りしていきましょう。

これから世界で存在感を増すであろう中東を理解するためには、イスラム教がどんな存在なのかをきちんと知っておかないといけません。

現在、世界でもっとも信仰されている宗教は、キリスト教です。２０２０年時点で、世界におけるキリスト教徒の数は約23億８２００万人と言われ、世界人口に占める比率は約31％と言われています。

●世界の宗教分布

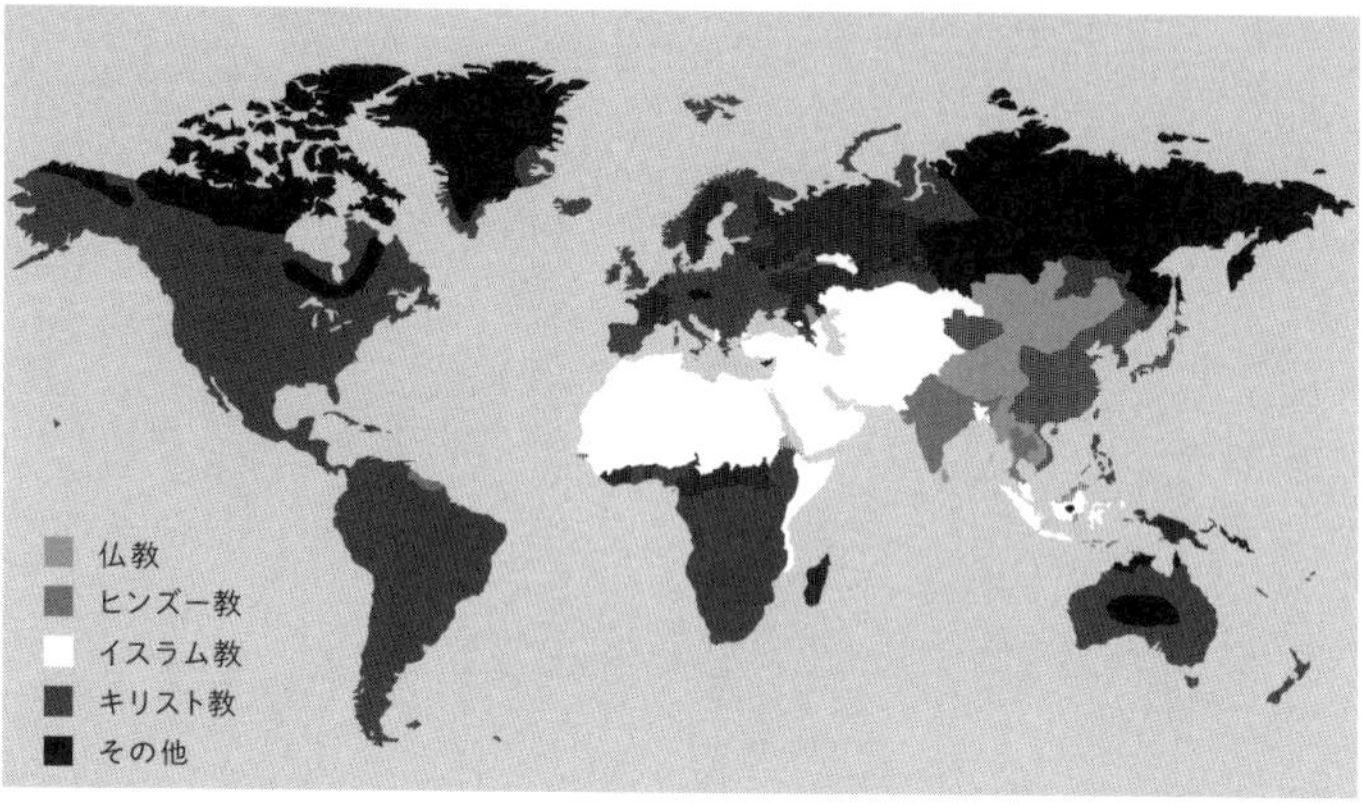

その次に多いのが、イスラム教徒です。２０１０年時点でイスラム教徒は約16億人（世界人口の約23％）でしたが、２０５０年には約27億６０００万人（世界人口の約29・７％）に増加すると予測され、２０７０年にはイスラム教徒とキリスト教徒はほぼ同数になると言われています。

どうして、**飛躍的にイスラム教徒の数が増えている**のでしょうか？

それは、**イスラム教徒が暮らす国の出生率が高い**ことと関係しています。

現在、世界最多のイスラム教徒人口約２億３０００万人を有するインドネシアをはじめ、パキスタン、インド、ナイジェリアといった国は、いずれも国内におけるイスラム教徒の数が多く、出生率も高いんです。

これらの国が、第三世界に属する成長が見込める国々であることに加え、BRICS10カ国のうち、インド、サウジアラビア、アラブ首長国連邦（UAE）、イラン、エチオピア、エジプトの6カ国にイスラム教徒がたくさんいることを考えると、**イスラム教を正しく理解しておくことは、国際情勢を考えるうえで必要不可欠な視点である**と言えます。

世界をリードしていく人たちが、どんな教義や考え方を持っているのかを知っておくことは、僕たちが実際に彼ら彼女らと接する際に生きてきますよね。

実際に、僕らが暮らす日本においてもイスラム教徒の数は増えていて、1999年には国内15カ所しかなかったモスク（イスラム教の礼拝所）の数は、2021年時点で113カ所まで増えているほどです。日本に住むイスラム教徒は約23万人（2020年時点）とも言われ、今後はさらに増えるだろうと予測されています。

21 なぜ日本人は「イスラム教は怖い」と感じるのか

イスラム教徒が増え続けているにもかかわらず、いまだ日本ではイスラム教と聞くと、「怖い」という反応を示す人が少なくありません。

たとえば、イスラム教にある「**ジハード**」という言葉。テロリストであったウサマ・ビン・ラーディン（前述の9・11などを首謀した）が、幾度となくジハードという言葉を使ったこともあり、イスラム教徒は聖戦の名のもとに戦闘行為を繰り返す人たち――そうした印象を抱く人もいるのではないでしょうか。

ですが、実際にはジハードとは、後述するコーランにある「神の道のために奮闘することに努めよ」という句のなかの「奮闘する」「努力する」という意味の動詞「jahada（ジャハダ）」を語源としているとされています。

そして、ジハードには、「大ジハード」と「小ジハード」があり、前者は「奮闘する」「努力する」といった本来の意味を指す、個人の信仰を深める内面的努力を意味し、後者は異教徒に対しての戦いを意味するんですね。

ジハードとは、**日常的に信仰心を高めるために努力するという意味で使われることが多く、戦闘的な意味で使われるケースは少ない**んです。

また、「小ジハード」は「異教徒に対しての戦い」という意味のほかに、「防衛戦」を指す際にも使われているため、戦闘行為に関しても基本的には防衛的な戦いを指しているのですが、どういうわけかここ日本では異教徒討伐や非ムスリムとの戦争を表す「聖戦」として語られてしまっています。

1978〜1989年にソ連がアフガニスタン侵攻を行った際に、ソ連軍によってイスラムの伝統と自尊心を踏みにじられたという理由から「ジハード」を掲げたことがありましたが、こちらは本来持ちうる〝防衛的な戦い〟としての「ジハード」という位置づけです。

聖戦の名のもとに戦闘行為（テロ行為）をするといったイメージは曲解で、そもそもジハードという言葉には、「聖」の意味は含まれません。そのため、ジハードを「聖戦」と和訳することも正確ではないんですね。

こうした言葉の解釈ひとつを取っても、日本ではイスラム教が正しく理解されていないことが分かります。

間違ったイメージが定着しているから、僕らはイスラム教をなんとなく「怖い」と思ってしまうわけです。

２０５０年には、世界人口の約３割をイスラム教徒が占めると言われています。世界的に、これから増えていく宗教です。その宗教に対して、怖いといった間違ったイメージを抱えたままでは、イスラム教徒と僕たち日本人、双方にとって不利益となります。

むしろ、**知れば知るほどイスラム教は面白い宗教でもある**んです。

22 ユダヤ教とキリスト教のいいとこ取りしてみた

増え続けるには理由があるからですよね。ただただ厳しかったり、メリットがないのであれば宗教といえども廃れていくはずです。

そもそもイスラム教とは、預言者ムハンマドによって創始された宗教です。ユダヤ教やキリスト教と同じで、唯一の神をあがめるわけですが、イスラム教はこの2つの宗教と無縁というわけではありません。

まずモーセがユダヤ教をつくり、その神をヤーヴェと呼びました。

その次にイエス・キリストがキリスト教をつくります。その神をゴッドと呼びます。

ムハンマドは、先行して誕生していたこれら2つの宗教を踏まえて、イスラム教をつくります。神の名はアッラー。いうなれば、**ユダヤ教とキリスト教とイスラム**

教は兄弟のような関係というわけです。

ムハンマドは、メッカの大商人だったハーシム家に生まれ、40歳の頃（610年頃）にヒラー山で瞑想《めいそう》にふけっていたところ、天使ガブリエルが現れ、その言葉（啓示）を人々に伝えるためにイスラム教を創始します。

その時代、メッカは交易の中継地点（3つの大陸のつなぎ目だったからですね）としてとても栄えていたと言われます。その影響で、富裕層と貧困層の格差が大きくなり、ムハンマドは貧富の差を超えた人間の平等を説いていくことで、庶民から支持を集めていくことになります。

7世紀初頭のアラビア半島は多神教が主流で、統一感がなく助け合いの精神も希薄でした。商人階級が政治や経済をコントロールしていたこともあり、ムハンマドは唯一神アッラーに服従し、**誰でも公平に富を分かち合い、孤児や寡婦《かふ》などしいたげられやすい者を大切にする共同体をつくるのが正しい道である**——そう説いたのです。

大衆から支持を集める一方で、富を持っている有力者層からは歓迎されませんでした。彼らからすればムハンマドは邪魔ものです。

弾圧を受けたムハンマドは、622年にメディナへ移住することになります。この移住を「ヒジュラ（聖遷《せいせん》）」と呼び、これを機にイスラム共同体（ウンマ）が成立します。

ムハンマドは法律や政策を決めていき、社会生活の方針を民衆と共有していくようになります。イスラム教徒は、この最初のウンマこそイスラム教の理想だと考えるようになります。

イスラム教には、3つの聖地が存在します。

1つ目が**メッカ**。ここはムハンマドが生まれ、イスラム教がつくられた場所です。

2つ目が**メディナ**。ヒジュラをし、ムハンマドが没した場所です。

そして最後が**エルサレム**です。天使ガブリエルに導かれてムハンマドが昇天した場所とされています。とある岩の上から天へと昇ったとされるため、後にその場所に「岩のドーム」が建てられたという背景があります。

ちなみに、エルサレムはユダヤ教にとってもキリスト教にとっても聖地です。前者は、ソロモン王がエルサレムに神殿を建設し、ユダヤ教の中心地であったため。後者は、イエス・キリストが十字架につけられた場所だから。

3つの宗教が同じ場所を聖地視することからも、これらの宗教が兄弟関係にあることが分かると思います。

では、イスラム教とはどんな宗教なのか――ということですが、唯一神アッラーに服従・帰依《きえ》する教えであり、**ムハンマドに啓示された神の言葉をまとめたコーラン（クルアーン）を聖典としている宗教**です。

コーランは、ムハンマドとその周囲の人々によって記憶された神の言葉、たとえば人間社会における生き方や崇拝行為の規定、美醜・善悪の分別などさまざまなことが含まれ、イスラム教徒はコーランに書かれている言葉を規範として生活しています。

同じく聖典として扱われるユダヤ教の旧約聖書では、天地創造といった逸話が書かれていますが、コーランはアッラーの教えに終始している点が特徴です。つまり、**コーランは生活の規範を示している聖典**ということになります。

イスラム教はユダヤ教、キリスト教と同じ一神教の系譜にあり、実は一部の教えを共有している宗教でもあります。ユダヤ教の預言者たち（モーセ、ダビデ王など）を尊重し、コーランのなかにはなんとモーセやキリストも登場するほどです。

そのなかで、ムハンマドは人類最後にして最大の預言者であり、イスラム教徒こそが真に正しい神の信者と位置づけられています。ものすごくかみ砕くなら、**イスラム教はユダヤ教とキリスト教のいいところを併せ持った宗教**だと主張しているわけです。

ところが、預言者の解釈の違い、偶像崇拝を認める・認めないといった差異からだんだんと対立関係が深まり、宗教戦争などに発展していってしまいます。中世では世界規模で兄弟ゲンカを続けていたとも言えるかもしれません。

23 イスラム教のマナーを決める「5段階の規範」

コーランは、生活の模範を示している聖典だと説明しました。実際に、僕が会計事務所で働いていたときに、たくさんのイスラム教徒の顧客と接してきましたが、彼らが異口同音に唱えるのは、「**イスラム教は人の道をつくる宗教だ**」ということでした。イスラム教が廃れずに、大きな支持を集めているのは、そうした人の道を示す宗教だからなんですね。

僕たち日本人は義務教育を受けることができます。だけど、イスラム教を国教と定める国のなかには貧しい国もあります。きちんとした教育を受けることができない子どもたちがたくさんいます。そうした子どもたちに、「人を殴ってはいけない」「人のものを盗んではいけない」「人を騙《だま》してはいけない」といったことを教える役割が、イスラム教でもあるんですね。

ムハンマドは、社会生活の方針を裁定し、みんなと共有していったわけですが、ムハンマドの教えは1400年の時を経て、現代でもイスラム教徒たちの生活指針になっているというのはすごいことだと思います。

半面、単なる信仰ではなく、社会生活全般を規定する宗教体系でもあるので、**礼拝、服装、食事、経済活動など日常生活の細部まで定められている**ことも特徴です。

たとえば、イスラム教の女性は、「ヒジャブ」というスカーフで頭を覆うことが多いけれど、これは「コーラン」のなかに「目をふせる」「美しいところは人に見せない」という記述があるからです。

その理由は、「嫌がらせから身を守るため」なのですが、近代化とともに女性の自由を奪っているように映ってしまうため、僕たちはイスラム教＝厳しい宗教だと認識してしまうわけです。

イスラム教のコーランには、人間社会における生き方や崇拝行為の規定、美醜・善悪の分別などが神の言葉（教え）として書かれています。

一例を挙げると、コーランの第3章「イムラーン家」には、「善に誘い、良識を命じ、悪行を禁じる一団がおまえたちの中にあるようにせよ。そして、それらの者、彼らこそは成功者である」といった一節があり、勧めるべき善と懲らしめるべき悪という勧善懲悪の考え方があることを示しています。

また、「スンナ」と呼ばれるムハンマドの慣行に関する逸話を集めた伝承集「ハディース」には、日常生活における慣習が紹介されていて、このなかでも勧善懲悪という考え方が通底しています。**よい行いをすることが大切だと、ムハンマドは繰り返し主張している**わけです。

コーランやハディースを法源としたイ

スラム教の法律を「シャリーア（イスラム法）」と呼び、イスラム教徒はこの方針にのっとって生活していくことになります。

実は、シャリーアによってイスラム教の行動規範は5段階に分かれています。イスラム教は、「ハラール（許されること）」と「ハラーム（許されないこと）」の2つに分類されていると思っている人も多いと思うのですが、実際にはもっと段階があるんです。


宗教的に不浄なこと、つまり「やってはいけないこと」を「**ハラーム**」。

禁止ではないが「やらないほうがいいこと」が「**マクルーフ**」。

「どちらでもいいこと」が「**ムバーフ**または**ハラール**」。

義務ではないが、「やったほうがいいこと」が「**マンドゥーブ**または**ムスタハッブ**」。

「やるべきこと、義務」を「**ファルド・ワージブ**」と位置づけています。


イスラム教はどんな行動規範もこの5段階に分かれ、ゼロか100かといった極

● イスラム教の5段階の行動規範例

ハラーム（【禁忌】やってはいけないこと）	人を殺すこと 麻薬を使うこと
マクルーフ（【忌避】やらないほうがいいこと）	食事制限を しないこと
ムバーフ/ハラール（【許可】どちらでもいい こと）	旅先での食事が 豚肉しかなかった 場合に食べること
マンドゥーブ/ムスタハッブ （【推奨】やったほうがいいこと）	巡礼、 寄付すること
ファルド・ワージブ（【義務】やるべきこと）	礼拝、断食

端な宗教というわけではないんです。

たとえば、殺人や麻薬は「やってはいけないこと」として扱い、お祈りは「やったほうがいいこと」に分類されると言います。聖地巡礼も、同じく「やったほうがいいこと」だとイスラム教徒の友人から教えてもらいました。

「やるべきことじゃないの？」と思うかもしれませんが、なかには体調が悪い人や障がいを持っている人もいる。ですから、「やったほうがいい」こととして扱われる。このように**人や環境によって差異が生まれることを前提とする、弾力性のある宗教がイスラム教でも**あるんです。

24

厳しいイメージだけど実はとってもファジー

国によってもイスラム教に対する解釈には硬軟があり、たとえば**サウジアラビアでは一切お酒を飲むことは禁止されている一方で、トルコでは普通に飲める**といった現象が起きているんです。

つまり、イスラム教は、国や個人によってグラデーションがあるということ。

イスラム教の教えに従って適切な方法で処理された肉のことをハラルミートと呼びますが、みんなは「イスラム教徒はハラルミートでなければいけない」「イスラム教徒は豚肉を食べてはいけない」と思っていませんか？

でも、決してそんなことはないんです。「日本に旅行をしに来たのだから、母国では体験できないおいしいお肉を食べたい」と考える人もいて、ハラルミートではない料理も普通に楽しんだりしています。

実際、僕がサウジアラビアへ行ったとき、サウジアラビアの友人は、「ここ（サウジアラビア）ではお酒を飲まないけど、お隣のバーレーンでは飲めるから、そのためだけにバーレーンに行く」と話していました。ところ変われば品変わるではないけれど、**他国へ行けば解釈を変える人も少なくない**です。**厳しいと言うよりも、なんともファジーな考え方**ですよね。

極めつけは、僕がかつて仕事でかかわったパキスタン人の男性。彼は東京の品川区で焼肉店を経営していたのですが、アルコールはもちろん、豚肉まで商品として扱っていました。「日本までアッラーの目は届かない」と笑っていましたが、イスラム教徒だからと主語を大きくして考えるのではなく、個人のアイデンティティを尊重することを忘れてはいけないことが分かると思います。

僕は、イスラム教徒の友人たちに、「何のためにお祈りをしているのか？」と聞いたことがあります。すると彼らは、**「家族と友人の平和と健康を祈っている。」**ほとんどのムスリムはそうだと思う」と答えてくれました。

日本人はお祈りと聞くと、「恋人ができますように」とか「商売が儲かりますように」という具合に、願いにも似たお祈りをすると思います。だけど、ムスリムのお祈りは、もっとファジーなんです。

アラビア語で「こんにちは」は、「アッサラームアライクム」と言います。

この言葉はハローやボンジュールとは趣を異《こと》にしていて、「**あなたの上に平和あれ**」という意味になります。そうした意味を持つ言葉が、あいさつの言葉として交わされるイスラム教の世界というのは、平和や健康を尊重する世界でもある。その祈りをささげるために、イスラム教徒はモスクに通うのです。

東京の大塚モスクでは、月に1回の炊き出しボランティアにイスラム教徒だけではなく、日本人も参加しています。日本人の参加者は、イスラム教の教えである「自分の富を共有する」という考え方に共感し、ボランティアに参加しているそうです。

モスクはイスラム教徒の礼拝の場ですが、日本でも宗教を超えた交流の場としての役割を果たしている。こうしたケースからも、決して怖い、厳しい宗教ではないことが分かってもらえると思います。

25 スンニ派とシーア派は仲が悪いって本当？

イスラム教は社会生活の指針を規定する宗教です。

では、よく耳にする**スンニ派**と**シーア派**は何が違うんでしょうか？

現在、スンニ派とシーア派の分布は、前者が80〜90％、後者が10〜20％と言われています。圧倒的にスンニ派のほうが多く、アラビア半島の湾岸諸国はすべてスンニ派のイスラム教国です（イエメンのみ、スンニ派とシーア派が半々と言われる）。

では、シーア派のイスラム教国はどこか？

それがイランです。**イランは唯一のシーア派を国教と定めるイスラム国家**なんですね。

もともとムハンマドがイスラム教をつくったとき、この2つの宗派は存在していませんでした。

では、どうして2つの宗派が生まれたのか、順を追って説明していきましょう。

ムハンマドの死後、イスラム共同体全体の合議によってムスリムたちのなかから、預言者ムハンマドの代理人として共同体を統率する指導者「カリフ」を選出することになります。

初代カリフであるアブー・バクル、2代目のウマル、3代目のウスマン、4代目のアリーと引き継がれていくのですが、アリーの次の後継者を誰にするかで揉《も》めたのが、シーア派とスンニ派です。

ムハンマドが亡くなったとき、イスラムはアラビア半島のみが征服地だったのですが、それから約20年後の650年代、第3代ウスマンの頃になると、西は現在のエジプト、東は現在のイランまで征服する大きな領土を有していました。

ここまで大きくなると、イスラムの支配下とはいえ地域性に違いが生まれます。つくれるものも違えば、気候も違う。もともとその場所にあった伝統的な文化も異なります。そのため、その地域の慣習によって指導者を選んでいくべき——という

●中東各国のスンニ派の割合

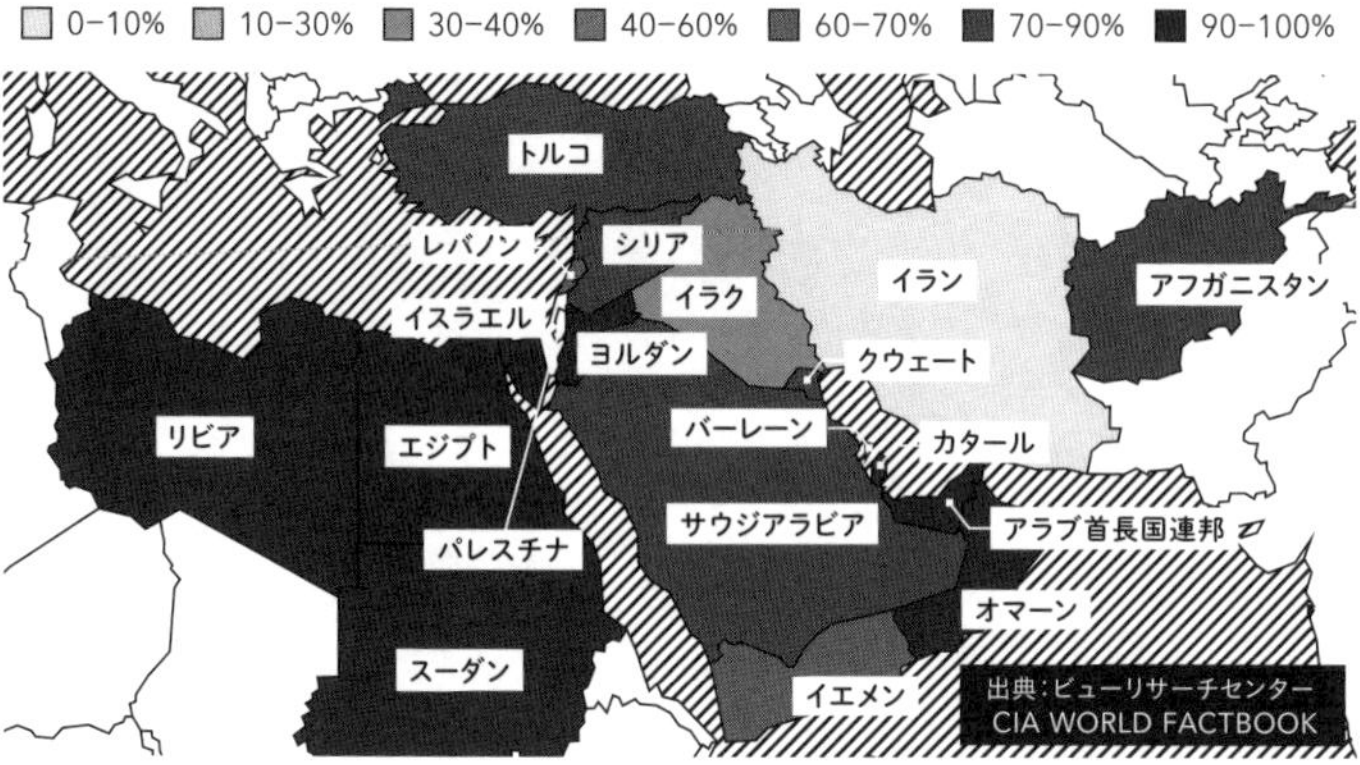

●中東各国のシーア派の割合

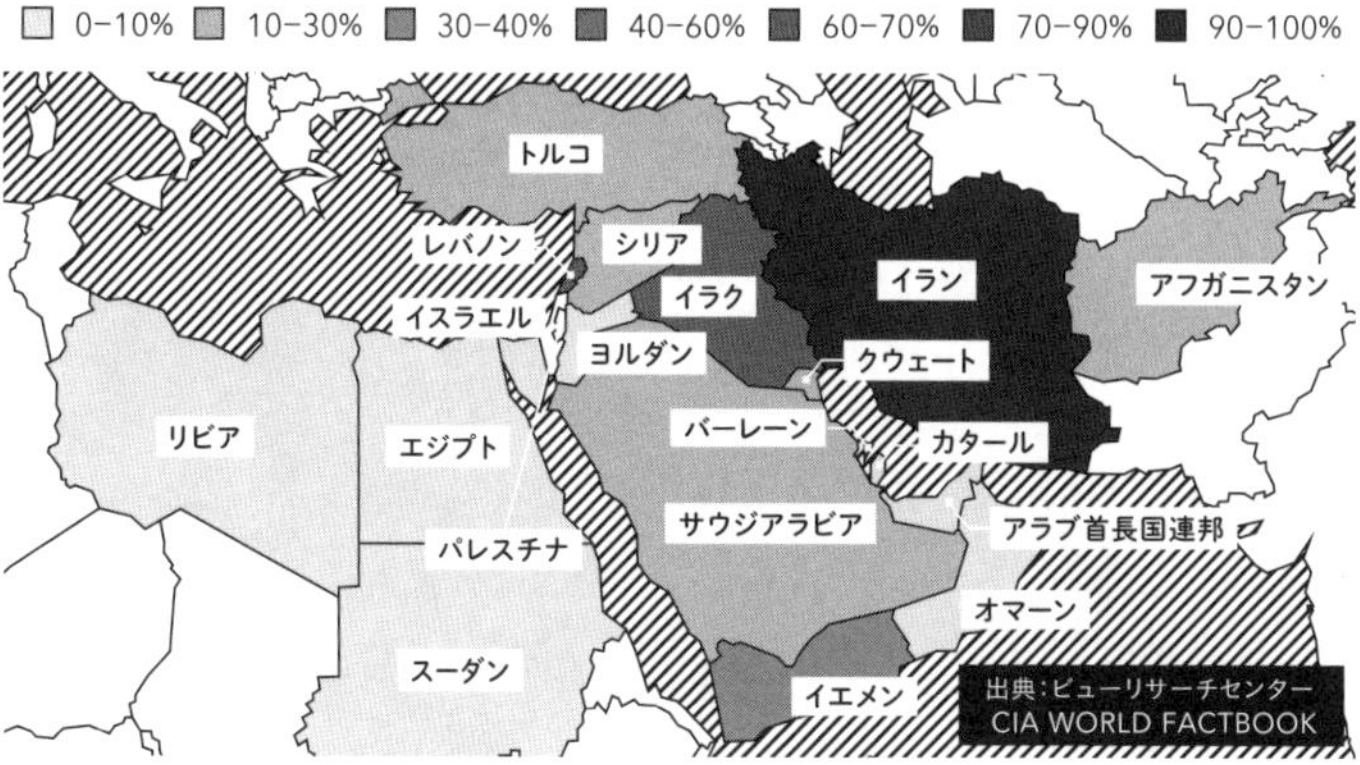

声が上がり始めます。

こうした考え方を持つ人々がスンニ派と呼ばれる人たちです。ざっくり言えば、**その地域でコーランを一生懸命勉強している人が指導者になればいいのではないか**という考え方です。そのため、年長者を敬うといった考えがあり、この考えはいまなおアラブ社会で生き続けています。

スンニとは〝慣習〟という意味を持つ言葉です。ムハンマドの言行を重視し、その解釈に基づいて後継者を決めていくというのがスンニ派の考え方になります。

しかし、領土が大きくなれば当然、政治的な腐敗も現れ始めます。そうした対立もあってカリフの交代劇が行われてきたのですが、ムハンマドの没後すぐに、「ムハンマドの血筋を引き継ぐ者こそがカリフになるべきではないか」と唱えていた少数派がいました。

4代目のアリーは、ムハンマドの娘であるファーティマの婿。だけど、ムハンマドが没したときはまだ若かった。成長し、十分な歳《とし》となり、4代目カリフとなるわけですが、先の少数派はアリーこそが正しい後継者であり、それまでの初代～3代目は認めないという意思表示をします。

これがシーア派です。

シーア派はアリーの後継者は、**アリーの血筋、血統で選んでいくべきだ**という考え方になります。シーア派の「シーア」とは、アリーの子孫を意味する「シーア・アリー」から名づけられているほどなんですね。つまり、**血筋で選ぶのがシーア派、慣習で選ぶのがスンニ派**ということになります。

そのため、シーア派のほうが厳格で、スンニ派のほうがややファジーというのが特徴です。

イスラム教徒は1日5回の礼拝の義務がありますが、スンニ派のなかには「5回しなくてもいい」と考える人もいるけれど、シーア派は5回の礼拝を絶対視する。

スンニ派は、イスラム教のなかでも比較的リベラルであり弾力性のある宗派である一方で、**厳格であり原理にのっとるシーア派は、戦争などの影響もあって過激派と見られがちな側面を持つ**というわけです。

この2つの宗派は仲が悪いというイメージがあると思うけれど、その返答はイエスでもありノーでもあります。

4代目カリフだったアリーが暗殺（661年）されると、イスラム教は宗派間の内戦へと発展してしまいます。

その後、ウマイヤ朝（661～750年）、アッバース朝（750～1258年）とスンニ派の支配が続くことで、シーア派はペルシア地域へ移動し、その周辺一帯で勢力を持ち、ファーティマ朝（909～1171年）を築くことになります。イランを筆頭にペルシア地方にシーア派が多いのは、こうした歴史の流れがあるからなんですね。

そして、16世紀に入るとペルシアでサファヴィー朝がシーア派を国教と定めたことで、スンニ派との確執が深くなってしまいます。こうした因縁は近代まで続き、1979年にシーア派が政権を握るイラン革命が起きると、中東におけるスンニ派勢力との対立が緊張化してしまいました。

というのも、イランという国は、シーア派の一派である「十二イマーム派」を国教とし、その最高指導者をあがめています。現在は、アリー・ハーメネイーが最高指導者として君臨していますが、**そのポジションはイランの大統領よりも上の扱いになります**。

イランは、イラン革命によって共和制を採用するイラン・イスラム共和国になりました。そのため、大統領は選挙で選ばれるのですが、一番偉いはずの大統領よりももっと偉い最高指導者という神様のような存在がいます。

そして、この最高指導者は選挙で選ばれることはありません。最高指導者は、十二イマーム派の12人の1人であって、いまなお血筋で選ばれます。先ほど説明したシーア派は血筋で選ばれるという考えを、イランは一貫しているわけです。国民が大統領を選んだところで、国の意思決定は最高指導者が行うため大統領は傀儡《かいらい》にすぎないんです。

また、イラン革命が起きた背景には、**西側諸国の石油資本によってイラン国内が西洋化していくことに反旗を翻す形で、シーア派が決起した**ことが挙げられます。こうした事情があることから、**アメリカをはじめとした西側諸国とイランは仲が悪い**というわけです。イランは、スンニ派、さらには西側諸国と対立している。複雑な事情が絡み合うことで、中東各地の紛争の炎は上がっていきます。

たとえばシリア内戦（２０１１年～）では、バッシャール・アル・アサド政権

（シーア派の一分派であるアラウィー派）に対してスンニ派勢力が蜂起したことを受け、イランがアサド政権を支援。それに対して、サウジアラビアなどのスンニ派勢力が蜂起を支援する事態になりました。

イエメン内戦（2015年〜）でも、イランがシーア派のフーシ派を支援し、サウジアラビアがスンニ派政権側に軍事介入する。たしかに、2つの宗派に対立は存在していると言えます。

一方で、安全な国、それこそドバイなどへ行くと、シーア派もスンニ派も分け隔てなく一緒に仕事をしています。互いを尊重し、介入しないスマートな人付き合いをしている姿を、僕はこの目で見てきました。

先日、サウジアラビアを訪問したときもそうです。サウジアラビアの東部州の州都、ペルシャ湾に位置するダンマームという石油都市へ行ったのですが、サウジアラムコの本社もあるくらい立派な都会で驚いたことを覚えています。ペルシャ湾の対岸はイランですから、イランとは目と鼻の距離。そのため、ダンマームにはシーア派もたくさん暮らしているそうです。

ダンマームを案内してくれたガイドの方は東部州出身だと言い、「シーア派とスンニ派は仲良くやっているし、家族間のコミュニティでも、普通にシーア派の家族とスンニ派の家族が一緒にピクニック行ったりするよ」と笑っていました。

その話を聞いた僕は、「でも、多くの人が2つの宗派は対立しているイメージを持っているよね」と話すと、「それはアメリカのプロパガンダです」とあきれたように話していました。

どうして争いが生まれるのか。

それは、貧しさや不安が先行している場所だからです。そうした場所では、自分たちのポリシーや利権を絶対視し、お互いを認め合うことなど到底できません。心に余裕があれば、争いなんてバカバカしくてやりませんよね。暮らしている場所を自分たちで焼け野原にして、わざわざ借金をしてまで武器を買う、そんな無駄なことをすすんでやる人たちなんて、普通に考えたらいないはずです。

戦争が起きるのは、その国が、そこで暮らす人々の心が不安定だから。そして、そこにつけ込む厄介者がいるからです。

スンニ派とシーア派は仲が悪く、イスラム教だから戦争の引き金になる。そんな単純なことで戦争は起きないんです。

26 金利が禁じられている国での「お金の借り方」

イスラム教は、社会生活全般を規定する宗教体系でもあるため、**政治と宗教を切り離す「政教分離」が難しい**とも言われます。

いまでも、イスラム教国のなかで政教一致を掲げる国は珍しくなく、イランでは法律でも飲酒を禁じているほどです。対して、分離した国もあり、とりわけトルコはイスラム教国として先鞭《せんべん》をつける形で政教分離を実践した国でした。先のイランでは法律でも禁止している飲酒を、トルコでは禁止していません。そのため、トルコではどこでも自由にお酒を飲むことができるんですね。

また、イスラム教の法律「シャリーア（イスラム法）」には、**利息の受け払い、不確実性取引、投機的取引、非倫理的取引（豚肉、アルコール、麻薬など）などの経済活動を禁止する**と定められています。

金利を禁じているということは、取引実体のないものに対してお金の支払いをすることが禁じられているということ。つまり、銀行などの貸付金の利子なども受け払いしてはいけないと定めているんです。

でも、そんな締め付けをすると経済が発展しづらく、国の成長につながりませんよね。そこで、イスラム社会には、「**イスラム金融**」と呼ばれる独自のシステムが存在します。

イスラム金融では、利子をもらう場合、その利子に対して何かサービスやモノの対価が必要になります。簡単に言うと、**サービスやモノの対価と利子を交換する**というシステムです。

たとえば、「喫茶店を開業したい」という山田さんがいたとしましょう。資金がない山田さんは、銀行に貸し付けをお願いし、利子を付けて返済していく。本来であれば、このようにお金を工面するわけですが、イスラム教の国ではこうした取引は禁じられています。

では、どうするかと言うと、お金を貸してほしい山田さんは、現金ではなく商品をまず受け取ります。つまり、喫茶店を銀行が提供するわけです。イスラムの銀行

が喫茶店の出店資金を負担し、完成した店舗を山田さんに渡す。そして、山田さんはオープンした喫茶店で売り上げたお金をイスラムの銀行に返済していく。まるで、リース業のような形でお金を回していくんですね。

イスラム教では、お金の受け渡しに対して何かしらのサービスや対価がなければいけません。常にフィフティ・フィフティの関係性がなければいけないと説いているわけです。どちらかに格差が生まれることがあってはならないというムハンマドの教えは、こうした形でも生きているというわけです。

27 イスラム教国だけにいる宗教警察って知ってる？

もう1つ、イスラム教ならではの存在も説明しておきましょう。

社会生活全般と紐づくイスラム教には、イスラム教の教義に反する服装や行為を行う人に対して、**教育的指導を施す「ムタワ」と呼ばれる宗教警察**が存在します。

前述したように、イスラム教の行動規範は5段階に分かれています。その教えをきちんと守れているかをパトロールする、いわば学校における風紀委員会のような存在がムタワです。

国によっては、**警察よりも権力を持つ異例の存在**で、サウジアラビア、イラン、イラク、アフガニスタン、パキスタン、エジプト、イエメン、ナイジェリア北部、マレーシアなどのイスラム教の国にそれぞれ存在しています。ムタワの権力が強いとされていた伝統を重んじるサウジアラビアでは、「勧善懲悪委員会」と呼ばれて

いるほど絶対的な存在でした。
5段階のなかでは、「やらないほうがいいこと」「どちらでもいいこと」「やったほうがいいこと」が圧倒的に大きいと言われています。ですが、国によってその物差しは変わるわけですから、保守的な国になるとより厳しく取り締まる傾向が強くなります。
そのため、注意するだけならまだしも、彼らは逮捕してしまうほどの権力を振りかざすことも珍しくありません。

サウジアラビアでもムタワの存在は脅威と映っていましたが、近年はサルマン皇太子の改革が進んだこともあって緩和されつつあります。その一方で、**いまだ**

にイランでは大きな力を持っています。

２０２２年９月、イラン国内でヒジャブの被り方がおかしいということで女の子がムタワに捕まる事件が発生しました。その結果、彼女は拘置所で私刑（リンチ）に遭い殺されてしまった——。

この事件が明るみに出ると、イラン国内で大規模なデモが発生しました。「この国はおかしい」「宗教警察を倒せ」といった反政府デモです。このときイラン政府は何をしたかと言うと、デモに協力した人々を次々と逮捕し、牢獄に送り込んでしまった。こうした人権を無視した姿勢を西側諸国は強く非難し、さらにイランとの溝が深まる一因になってしまったほどでした。

僕たち日本人は、中東諸国から見れば外国人だから無関係と考えるかもしれませんが、国際情勢を見渡したとき、彼らの特徴を理解しておく必要はありますよね。「郷に入《い》っては郷に従え」という言葉もあります。外国に行ったら、あるいはその国の人々が暮らすフィールドに入るときは、自分の先入観や価値観はいったん下駄箱に入れて、土足で上がらないようにすること。

また、そうした**異なる文化だからこそ、その土地ならではの慣習が生まれる**というのも必要な視点です。

サウジアラビアのレストランではファミリーテーブルとメンズテーブルといった区分けがあると先に触れましたが、これはまさしくイスラム教の行動規範のたまものなんです。

その結果、どういった国民性が生まれたかと言うと、サウジアラビアは家族単位で行動することがとても多い国になりました。家族で映画館やデパートへ出かけることは当たり前だし、食べるものも家族でシェアできるものが好まれる。**その国の文化を理解するということは、国民性の理解にもつながる**わけです。

中東を知ろうとするとき、イスラム教を理解することは、そこに暮らす人々の行動や考え方の解像度を上げることでもあります。

僕たちが想像している以上に、イスラム教はそこで暮らす人々の生活に、大きな根を下ろしています。

それでいて、国ごとにその深度は異なります。まさに森と木、どちらも見ることが大切だということをイスラム教は教えてくれるんです。

第4章

いい人ぶってるグローバリズムに騙されるな！

28 グローバル化はいいこと。グローバリズムは？

西側諸国（第一世界）とグローバルサウス（第三世界）の対立。

国際情勢を考えるとき、現在進行形で世界に横たわっている大きなテーマです。その際、グローバリズムという言葉にも注視しておく必要があります。

グローバリズムとは、自由貿易や市場主義経済を世界中に広げていく考え方だったり、地球規模でお互いに依存関係を深めていくことです。**地球全体を1つの共同体と見なし、世界の一体化を進める、いわば思想のようなもの**です。

グローバリズムとは、あくまで思想や考え方だということを理解しなければいけないんですね。

もう1つ、**グローバル化**という言葉があります。

たとえば、僕らはスマートフォンによって、世界中の誰とでもメッセージの交換ができるようになりました。あるいはクレジットカードに搭載されているタッチレス機能によって、外国でもクレジットカードをかざすだけで乗り物に乗ることができたりします。

こうした**日本にいながらにして世界とつながることができたり、日本でできることが外国に行ってもできるようになったりする**、これがグローバル化です。

実は、この2つは似て非なるものです。

グローバル化は、いま言ったように便利になったり、海外のものを手に入れやすくなったりすること。僕も賛成です。でも、**グローバリズムというのは、世界中の人が同じ考えを共有するべきという思想**であり、僕個人は賛成できない考え方です。

自分たちが生まれ育った国には、それぞれの文化がありますよね。自分が育った地域を想像してみてください。毎年開かれるお祭りがあって、ソウルフードと呼ばれるその土地ならではの食べ物があると思います。いろいろな場所に、それぞれの文化があるから、ここ日本には個性豊かで特徴的な町がたくさん存在します。

ですが、こうした個性を尊重せず、ルール通りにすべてを同じにしてしまったらどうなるでしょう？　「○月△日に、全市町村は形式にのっとった同じお祭りをして、決められた食文化などを徹底するように」。こうしたルールが強制されてしまえば、その場所にあったはずの個性的な文化はなくなってしまいます。

グローバリズムというのは、まさにこうした考え方です。

実際、**一体化を推奨する動きは確実に広まりつつあります**。新型コロナウィルスによって世界はパンデミックに陥りました。そうした経験を踏まえ、現在、WHO（世界保健機関）では、感染症対策を世界的に強化するための「パンデミック条約」という規定をつくろうとしています。これは、再び世界でパンデミックが起きた場合は、この条約に沿って、各国は対応をしなければならないというものです。

でも、おかしいと思いませんか？

僕たち日本人は、欧米と比べると亡くなった人が少なかったし、被害も少ないほうだった。今回の新型コロナウィルスでは、地域や国によって差異があったわけですから、各国の状況に応じて、自分たちで対策を練るべきです。大きな鍋に、小さなとじ蓋《ぶた》が合わないように、1つのものさしで測ろうとするとズレや齟齬《そご》が生じてしまいます。

しかし、WHOはこのルールでやってくださいという「パンデミック条約」なるものをつくろうとしているんですね。日本でパンデミックが起きた場合は、日本が下した決断ではなく、WHOの方針に従って進めなければいけないんです。

実際、「パンデミック条約」に異を唱える国は多く、協議がまとまらず交渉期間を最大1年、延長することになりました。

特に、途上国と先進国の主張に折り合いがつかないことが大きな要因です。途上国側は、ワクチンや治療薬の特許を緩和し、途上国でも生産できるよう技術移転を求めているのですが、先進国側は、特許の放棄につながる可能性があるため製薬企業への影響を懸念している背景があります。

世界の人々を救うためのルールだとうたっておきながら、利権が脅かされる可能性があるからけん制する。だったら、各国に対策を委ね、「パンデミック条約」などという世界共通のとじ蓋をつくらなければいいと思うのは僕だけでしょうか。

29 移民政策で分かるグローバリズムの欠点

グローバリズムを展開したことで、自らの首を絞める結果を招いているのがEU（欧州連合）です。

現在、EUは27カ国（2024年6月時点）からなる国家連合ですが、そのトップに君臨しているのはウルズラ・フォン・デア・ライエン委員長という政治家です。27カ国それぞれの大統領や首相は、当たり前ですが国民によって選ばれます。ですが、EUのトップである委員長は、欧州理事会（EU首脳会議）が選んだ委員長候補者のなかから**欧州議会が決めるので、各国の国民の声は直接届かない**んですね。

たしかに、EUが誕生したことで、域内での人やものやお金は自由に移動でき、単一市場が形成されたことで、関税はなくなり企業活動は活発化しました。

その一方で、EUが定めたルールに加盟国は従わなければなりません。現在、欧

●トップの選び方の違い

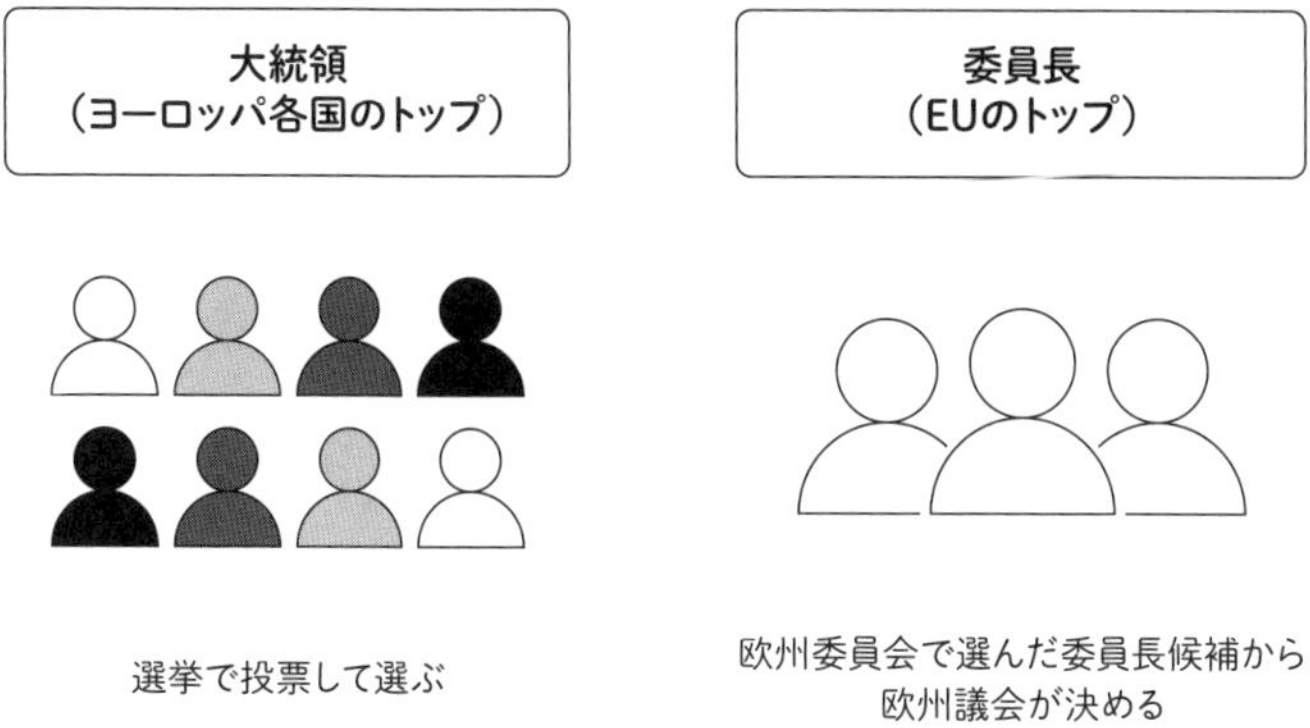

州各国で社会問題へと発展している移民問題は、まさにＥＵが定めたルールによるものでした。

移民・難民の受け入れを求められた加盟国は、安い労働力が手に入りました。しかし、膨れ上がる難民（その背景にあるのは、アメリカのイラク戦争、アフガニスタン侵攻などです）に対応できず、なかには暴徒化する難民も現れました。

もともとその場所で暮らしていた人と移民した人との間に対立が生まれ、移民を排除せよという声が強くなってしまいました。

現在、欧州の各国では極右政党が台頭していますが、「自国民を優先すべし」

という声が大きくなった背景には、ＥＵの移民政策の失敗があるのです。

こうした動きを受け、２０２３年12月に、ＥＵは移民・難民受け入れの新制度で合意しました。不法移民の審査を厳格化し、保護が必要ないと判断された場合は入国を拒否、強制送還できるようになるというものです。

強制送還された移民たちは、次はいったい、どこを目指すんでしょう？

そして、ＥＵ加盟国は難民の受け入れか、ＥＵ基金への資金拠出を選択することになると言います。

受け入れられないならお金を払え――。

こうした制度が、国民の声が届かない場所で取り決められてしまう。**グローバリズムとは、僕たち国民の声が届かなくなる全体主義ということになります**。グローバリズムを受け入れるか否かについても、僕たちは真剣に考えなければいけない局面にいるんです。

30 自分たちの国なんだから勝手にルールを決めないで

昨今は、グローバルな課題として環境問題が叫ばれています。たしかに、2020年の国別CO_2排出量ランキングでは、日本は10億480万トンで世界第5位でしたから、対策をする必要があります。

国際的な枠組みであるパリ協定に基づいて、**カーボンニュートラル**（温室効果ガスの排出量から吸収量や除去量を差し引いた実質的な排出量をゼロにすること）は宣言されました。

ここ日本では、2020年10月に当時の菅義偉《すがよしひで》首相が所信表明演説で「2050年カーボンニュートラル」を宣言しましたが、これは国際的な合意ありきです。

各国が自主的に設定したものであるため、対策は各国で異なります。そのため欧米、特にヨーロッパは環境問題に率先して取り組んでいるイメージがあると思います。ですが、その実態は過酷なものです。

たとえば、ロンドンでは2019年4月から中心部で「超低排出ゾーン」が導入されました。この施策は、2006年以前に登録されたガソリンエンジン車などを対象とし、自動車排ガス規制を満たさない車両が、ロンドンの「超低排出ゾーン」を走行する場合、1日あたり約2500円を市に支払うというものです。

そして、2023年8月29日からは、この対象地域がロンドン市内のほぼ全域に拡大されました。東京でたとえるなら、都心はもちろん、横浜市、厚木市、さいたま市、習志野市といった30〜40キロメートル圏内に及ぶほどの広大な範囲です。「超低排出ゾーン」は、高齢者が病院に行くためだけに使う場合でも、対象の車であれば1日に約2500円を払わなければいけません。

現在、イギリスのガソリン価格は、1リットルあたり300〜400円ですから、ロンドン市民はこの施策を激しく非難していると言います。市民の生活を圧迫してまで環境を優先する。**世界的な合意があるから、こうした行き過ぎた施策もまかり通るというわけです。そして、その世界的な合意に、僕らの意思は反映されません。**

31 「世の中の流れだから仕方がない」は思考停止だよ

日本では外国人技能実習制度と特定技能制度の見直しが進められ、外国人技能実習制度1号〜3号は廃止となり、新たに「育成就労制度」が創設されます（2024年6月14日可決・成立）。これによって外国人の受け入れが大きく変わる可能性が出てきました。

これまでの技能実習制度は、技能実習、特定技能1号、特定技能2号という具合に3段階に分かれていました。

この制度は、開発途上国の若者を日本に受け入れ、日本の技術や知識を移転することを目的とした制度なのですが、昨今は問題化し、その実態が疑わしいものになっていることは周知の事実だと思います。

技能実習よりも格が高い、特定技能1号になると家族の帯同こそ認められないものの最長で5年の在留資格が認められます。さらにその上の特定技能2号になると、一定の要件を満たせば、配偶者や子どもの帯同が可能となり、在留期間の上限はなくなります。

特定技能1号は外食や飲食業、宿泊業、介護業といった14分野を対象としていました。対して、特定技能2号は建設業と造船の一部のみの2分野というようにハードルが高かったんですね。

これを廃止して、新制度へ移行するというのが新たな取り組みです。先の特定技能2号の分野を農業、漁業、自動車整備業など11分野に拡大するという方向で進めているのですが、家族も帯同できるわけですから、大幅に外国人受け入れの間口が拡張する可能性があります。

僕は、これまで外国人とたくさん仕事をしてきましたし、世界のいたるところに友人がいます。そのため、日本人と外国人の交流が進む点に関してはとても素晴らしいことだと思っています。

一方で、この取り組みを進めている日本の政治家が、本当に日本のことを考えて、こうした取り組みを細かい点まで精査し、実施しようとしているのか疑問に思ってしまいます。

というのも、1号でも2号でもない技能実習生は安い労働力とみなされ、現場で奴隷のように働かされ、その結果、**その職から逃げ出し、犯罪に手を染めてしまうといった負のスパイラルに陥るケースが珍しくない**からです。こうした問題を見て見ぬふりをしたまま、家族の帯同が許される2号を拡張してしまえば、新たな問題が起こることは想像に難くありません。

再び、ロンドンを例に取りましょう。

現在のロンドンは、労働党のサディク・カーン市長が市政を動かしているのですが、彼は移民の人権擁護の弁護士としてキャリアをスタートし、自身もバングラデシュ系の両親を持つイスラム教徒の移民2世です。

支持基盤である移民層は、長年しいたげられてきたことで、ロンドンのミドルクラスやアッパークラスに不満を持っていました。そうした声を拾い集めていった結果、**警察の予算を減らし、職務質問を禁止にしてしまった**そうです。

その結果、ロンドンの治安は、とても悪化してしまいました。

移民問題は、もはや対岸の火事ではなく、僕らの身にも起こる現実的な問題になりつつあります。2024年5月には、バイデン大統領が「移民が米国経済の強さ」と指摘する一方で、日本は「外国人が嫌いで移民を受け入れない」から経済的な問題があるとコメントし、波紋を呼びました。移民をコントロールできていない国が、どうしてこんな高圧的な発言ができるのでしょう？　まるで、岸田政権に「分かってるよな？」と言わんばかりの態度です。

繰り返しますが、僕は外国人の受け入れに反対しているわけではありません。第5章で後述するエコノミックフリーゾーンなどをつくることで、効果的な外国人人材の生かし方もあるなかで、**「日本は移民の受け入れが少ないから、ある程度は仕方ない。だって、世界的に見ればみんながやっていることなんだから」という論調が広がり、政府による受け入れの拡張に国民が盲従することを危険視している**んです。

みんながやっているから従う、世の中の流れだから仕方ない。そうした論調に盲目的に領《うなず》くことは、自らの文化やアイデンティティが、他の何かに上書きされることを許してしまうことです。

「そういう流れだから」で納得し、追従するもっとも分かりやすい例が、「自主規制」です。

自主規制の怖さというのは、法律によって規制されていないのに「○○をすることはよくない」、あるいは「将来規制されてしまうのではないか」といった風潮が自然と広まり、自分の判断で勝手に規制してしまうことです。

権力を持つ人たちからすれば、もっとも時間もお金もかからない支配の仕方です。

「赤信号みんなで渡れば怖くない」という言葉があります。その集団に勢いやパワーがあるなら一理あるかもしれません。でも、盲目的に先頭についていっているだけの集団が、赤信号なのに突っ込めば全員ひかれてしまいますよね。同調圧力に屈してしまうと、待っているのは破滅の2文字です。

世の中の流れだから仕方がない。本当にそうでしょうか?

むしろ、**どうして世の中はそういう流れになっているのか……その風潮を疑うことが、これからの時代を生き抜くヒントになる**はずです。

32 大統領選挙で決まるアメリカの進む道

グローバリズムに対して、反対の態度を取っているのが、ロシアのプーチン大統領です。

さらに、意外と思われるかもしれませんが、アメリカ大統領選に出馬するトランプ前大統領も、明確にグローバリズム反対を主張する人物です。

グローバリズムは、先に説明したように人が自由に行き来できるようになるため、安い労働力を確保しやすくなります。そのため2016年の大統領選では、トランプ候補（当時）は雇用流出につながるグローバリズム批判を明確にし、そうした不満が根強かった中西部を中心に支持基盤を築き上げたほどでした。

グローバリズムは、社会の利権を持つ企業や、一部の富裕層にとっては都合のいいものとなりますが、そうではない人たちにとっては、雇用機会の減少や自分たちのアイデンティティの消失につながってしまう。

トランプの支持者は、「自分たちが慣れ親しんだアメリカが急速に変わっていく」ことに対して焦りや不安を抱いていたと指摘されています。

現在のバイデン大統領の民主党は、伝統的に「大きな政府」を志向する政党です。

大きな政府とは、**政府が経済活動に積極的に介入し、社会資本の整備や国民生活の安定化、所得格差の是正などを目指す**考え方です。バイデン政権は、一部では政府の経済への介入を最小限に抑え、市場の自由競争を重視する「新自由主義」と呼ばれる経済政策を掲げていますが、根幹にあるのは大きな政府を目指すというものです。

大きな政府があるなら、小さな政府もあるの？と思う人もいると思いますが、まさにその通りで「小さな政府」と呼ばれる考え方もあります。

これは、**政府の役割や規模を最小限に抑え、市場のメカニズムを重視する**ことが特徴として挙げられます。政府支出が抑えられるため、国民の租税負担が軽くなるなどのメリットがある一方で、市場を優先するため所得格差が拡大しやすかったり、公共サービスの質が低下する可能性があります。端的に言えば、自己責任の度合いが増すというものです。

半面、仮に**政府が経済活動や社会に積極的に介入する大きな政府を選んだ場合、グローバリズムとの親和性は高くなります**。

というのも、グローバリゼーションが進んで、経済が国際化すれば、おのずと政府の役割は大きくなっていくからです。

しかし、過剰に介入すると全体主義や強権主義へと翻ってしまいます。

バイデン大統領は、環境問題と人権問題に重きを置いていると先述しましたよね。現在、地球規模でCO_2排出量をゼロにする「脱炭素」が叫ばれていますが、その音頭を取っているのはアメリカをはじめとした西側諸国です。バイデン大統領は、その先頭にいます。

CO_2の排出量は国によって違うのに、強制的に世界のルールに従わなければいけない。環境問題に関してもグローバリズムの風が吹いていることが分かってもらえると思います。そして、何が起こっているかは、ロンドンの例を見ても一目瞭然

●大きな政府と小さな政府

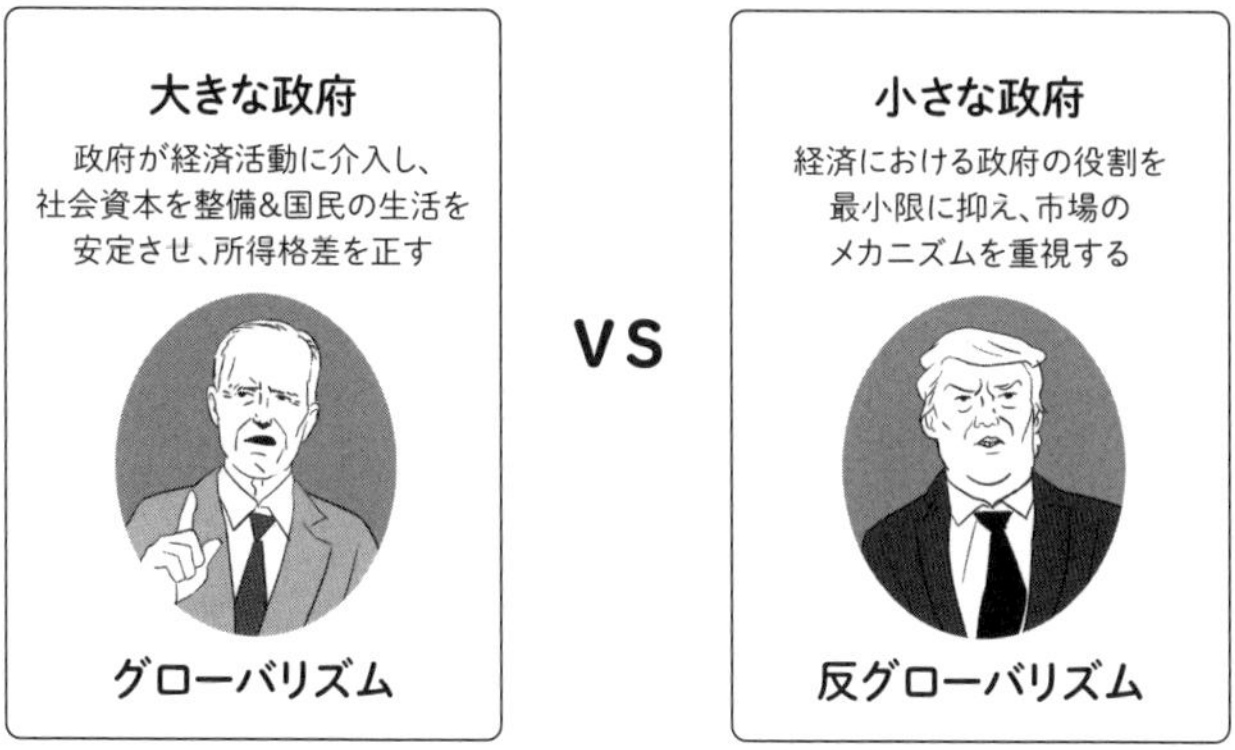
大きな政府
政府が経済活動に介入し、
社会資本を整備&国民の生活を
安定させ、所得格差を正す
グローバリズム
VS
小さな政府
経済における政府の役割を
最小限に抑え、市場の
メカニズムを重視する
反グローバリズム

ですよね。

パレスチナで行われているアメリカとイスラエルの対応も、強制的なルールによって収束を図ろうとしています。こうした背景からも、**バイデン政権がグローバリズムを否定しない政府であることは明らか**だと思われます。

つまり、2024年11月に行われるアメリカ大統領選挙は、反グローバリズムのトランプ前大統領vsグローバリズムのバイデン現大統領という構図があるということです。

トランプ前大統領は、「Make America Great Again（メイク・アメリカ・グレート・

アゲイン)」という言葉を掲げていました。

どうして、この言葉に多くのアメリカ国民が支持を示したのか。

それは、アメリカはグローバリズムの一員ではなく、アメリカはアメリカであって、**アメリカの利益のために動くべき**だと説いたからです。

彼は、戦争においてもいたってシンプルな考えを持っています。中東やウクライナにアメリカが介入する必要はないというものです。どうして他国の戦争に、アメリカが人命とお金を投じなければいけないんだ、そう話しているんですね。

トランプ前大統領は、とても合理的です。だからこそ、大統領時代にアブラハム合意を成し遂げたのだと思います。

誰かを助けるためには、まず自分が強くならないといけません。アイデンティティが揺らいでいたら、周りをリードすることなんてできません。

大事な人と海でおぼれてしまったと想像してください。自分も相手も体力がなくなって、うまく泳ぐことができない。でも、目の前に1つだけ浮き輪が流れてきた。このとき、皆さんならどうしますか?

大事な人を優先して浮き輪を渡す。それも立派な決断です。ですが、自分が必ず助けるという意思と自信があれば、自分がその浮き輪を使い、そのうえで大事な人も助けることができるはずです。自分が強くないと、失ってしまうものは増えるんです。

自立するという考え方は、これまで説明してきたように現在の中東やグローバルサウスにも共通していることですよね。世界のルールに強制されず、自分たちで強くなる。

世界はいま、徒党を組んで弱者から搾取するか、自立して他国から尊敬を集めるか、その二者択一を迫られているとも言えるんです。

33 マスメディアは真実のすべてを伝えられない

日本のマスコミは、トランプ前大統領がアメリカの大統領に返り咲いたら大変なことになる――などとうたっています。「もしトラ」（もしもトランプになったら）という言葉を見たことがある人も多いのではないでしょうか？

その内容は、「防衛費増額を要求される」「対中政策の硬化によって台湾有事の危険性が高まる」などなど、不安をあおったり、デメリットを指摘するものばかりです。

僕から皆さんにお聞きしたいことがあります。

第2章でバイデン大統領の言動の一部を記述してきましたが、そのことは知っていましたか？

知らないと答えた方は、**なぜ知らないままだった**のでしょう。

それは、こうした国際情勢のリアルをマスコミが報じていないからです。日本はアメリカと軍事同盟（日米安全保障条約）を結んでいます。僕らはアメリカが何をやっているのか、正しく理解しなければいけません。だけれど、その多くは一般のニュースとして報じられることはありません。

マスコミが嘘をついているとは言いません。ですが、**マスコミを疑う視点は、これからの時代をひらいていくうえで絶対に必要なこと**です。

そもそも、「もしトラ」があるのであれば、「もしバイ」（もしもバイデンになったら）も語られないとフェアじゃないですよね。

テレビで流れるニュースや新聞といったマスメディアの情報だけを鵜呑《うの》みにせず、書籍やYouTube、ＳＮＳなどいろいろなところから情報を集める必要があります。そのうえで、集めた情報をふるいにかけ、その真偽を見定めなければいけません。

34 ディープステートは正しいのか、陰謀論なのか

現在、世界では「ディープステート」と呼ばれるワードが話題を集めています。**ディープステートとは、政府のなかにある影の実力者集団を意味し、陰謀論的な概念とも言われています。**

本当に実在するのかしないのかについては慎重な議論が必要だと思います。当然、肯定派と否定派がいるわけですが、ディープステートはいると主張している代表格がトランプ前大統領です。彼は、公約のなかで「闇の政府を粉砕する」とまで掲げるほど、その存在を敵視しています。

また、イギリスの与党（当時）である保守党のリズ・トラス前首相も、２０２４年2月にディープステートに関する発言を繰り返し、そうした存在があることを主張しています。

一方で、陰謀論的な概念と指摘されている言葉であるため、この言葉を使うと「陰謀論者」というレッテルを貼られてしまいます。実際に、トラス前首相は厳しい非難を集めてしまったほどで、否定的な見解を示す人もたくさんいます。

しかし、世界的な緊張感と不安が増すなかで、政治家の首根っこを摑《つか》むような人たちがいるのではないかと疑う人が多いことも事実です。

有権者1000人を対象とした、アメリカの民間調査会社ベネンソン・ストラテジー・グループ（BSG）の2022年10月の調べによると、アメリカで「連邦政府は秘密結社に掌握されている」と考えている人は有権者の44％に上っていると言います。共和党支持者の53％、民主党支持者の37％、無党派の41％が――、**さまざまな支持層が疑いの目を持っている**ことが分かります。

個人や企業、団体などが、自らの利益に資するように政策や法律を有利に導くために、政治家や政府関係者に働きかける活動を、ロビー活動と言います。

実は、ロビー活動は、アメリカをはじめ欧米諸国では一般的に行われており、決して珍しいことではないんですね。そのため政治家や政府関係者を支援している団体もオープンになっているほどです。

2017年に日本貿易振興機構（ジェトロ）がまとめた「米国における政策策定プロセスとロビー活動にかかる調査報告書」という資料があるのですが、そのなかで、アメリカの民主党に影響力を持つ主な企業・団体がオープンになっています。

2016年において、ロビー予算にもっとも多く支出を割いた主体は、次の通りです。

・米国商工会議所
・米国不動産業協会
・ブルークロス・ブルーシールド協会
・米国病院協会（AHA）
・米国研究製薬工業協会（PhRMA）
・米国医師会（AMA）
・ボーイング社　など

つまり、**医療、金融、不動産、製造業など幅広い業界の大手企業が、民主党に影**

響力を持つことになります。

こうした背景があることから、バイデン政権は製薬業界や医療業界を潤わせるために、「パンデミックのとき、日本はアメリカからワクチンを買わされているのではないか?」といった疑いの声が、日本でも上がったというわけです。

実際、アメリカではロビー活動への課税を提案するなど、ロビー活動への批判的な姿勢があり、献金する企業の影響力が大きいことが懸念されています。

もし仮に、こうした動きが本当ならば、バイデン政権は逆らえない存在がいるということになります。

そのため、トランプ大統領をはじめ、世界の著名人が「こうした存在に負けてはならない」と声を上げ始めているというわけです。

しかし、ここ日本ではロビー活動が一般的ではないこともあり、この手の話は煙たがられます。陰謀論と言われると、〝怪しさ〟が漂います。裏を返せば、「それって陰謀論じゃん」と言えば、「信じるに値しないこと」というラベリングをすることもできます。

そのため、**陰謀論だと決めつけずに、入ってきた情報のリアリティを自分の頭で精査することが必要**です。

マスコミはこうした発言を行う人々を、「陰謀論者である」という前提で話を進めます。

もし本当にそうした事実がないなら放っておけばいいんです。ですが、昨今はやたらと陰謀論という言葉がメディアに登場し、「信じるに値しないこと」という論調で語られます。

たとえば、マスコミ、特に新聞記事がディープステートを扱う場合――。

〝陰謀論者が好んで使う「ディープステート」〟

〝根拠のない主張〟

といった表現が使われがちです。

「信じるに値しないこと」という前提で書かれているのは、公正なジャーナリズムであるはずの新聞にあってはならないはずですよね。表現を駆使することでミスリードを印象付けるのは、マスコミの専門分野でもあります。ジハードを「聖戦」と和訳し、定着させたことなどは最たる例です。

日本の政治家は、世論形成をする際にマスメディアを大きく活用します。実際、僕たち有権者は報道によって政治的判断をすることが少なくありません。**偏向報道や一部のみを切り取ったような報道が後を絶たないのは、双方が密接にかかわっている証左**ですよね。

かつて、「忖度《そんたく》」という言葉が流行語になりましたが、マスコミが政府や官僚に対して過剰に忖度する＝権力との距離が近すぎるとも言えます。

また、テレビ局はスポンサー企業からお金を提供してもらうことで成立し、その視聴率が利益を大きく左右します。報道内容は風見鶏にならざるをえず、都合のいいニュースを流すことは珍しくありません。

そのため、日本のマスメディアは政治的に中立を保つことが難しい構造的問題にあり、英オックスフォード大学ロイター・ジャーナリズム研究所の調査では、**日本のメディアの権力監視機能は主要国で最低レベル**だと指摘されています。

現在の岸田文雄政権は、バイデン政権とべったりと言っていいほどアメリカ追従です。

おのずと、日本のメディアもアメリカの方針に追従してしまいます。

僕らがマスメディアと接するときは、こうした微細なところにも注意を払いつつ、さまざまな場所から情報を得ていくことが大切です。

できるだけ加工されていない、オーガニックな情報を摂取すること。

昨今は、フェイクニュースという言葉が一般的になるように、SNSなどでも真実とは異なる情報も流れてきます。

2023年10月7日のハマスのテロがあった際、SNSではハマスの残虐行為を示すかのような写真が多数アップされ、その写真を見たという人も多いと思います。

ところが、イスラエルの主要な民放テレビ局の1つ「チャンネル13」は、イスラエル国防軍のスポークスマンから「起こらなかった現実を描写した」ことについて謝罪する反省の声明を引き出すことに成功しています。物干しロープに吊るされた赤ちゃんなどのぞっとするような話は、「ハマスへの憎悪の度合いを高めるため」にでっち上げられたことだと認めているんですね。

戦争はメディアによってつくられるものでもあるということ。だから、僕たちはメディアを疑わなければいけません。それを怠れば、僕らは真実を知らないまま歳を重ねていくことになってしまいます。

その試金石としても、11月に行われるアメリカ大統領選挙は見逃せません。バイデン大統領、トランプ前大統領、両サイドからどのような情報が放たれ、互いをけん制し合うのか。

2024年6月時点では、トランプ陣営が有利だと言われています。パレスチナにおけるアメリカの態度をはじめ、バイデン政権は見限られつつあります。そうした状況があるなかで、何が起きるか——。僕らは同盟国として見届けなければいけません。

35 第三次世界大戦の緊張が高まる瞬間があった

西側諸国（第一世界）とグローバルサウス（第三世界）。
グローバリズムと反グローバリズム。
こうした対立が鮮明になっているからこそ、大きな争いが起こる可能性がありま
す。決してあおるつもりはないのですが、第三次世界大戦の可能性だって捨てきれ
ないと思っているんですね。
その最前線にいるのが、イスラエルとイランの緊張です。
先述したように、イスラエルのネタニヤフ政権の行き過ぎた政策は、アメリカか
らたしなめられるほど過度です。
対してイランは、国家理念の1つに「イスラエルを滅ぼす」という国是を掲げる

ほど、敵対心をあらわにしています。イランからすれば、イスラエルは聖地・エルサレムを奪った悪者であるという考え方です。

ともに過激な考え方を持つ、犬猿の仲というわけです。

２０２４年4月13日、イランは建国以来初めて、イスラエル本土を直接攻撃しました。イスラエル軍によるシリアのイラン大使館関連施設への空爆に対する報復ということで、イランは３００発以上のドローンやミサイルをイスラエル本土に向けて発射しました。

遠く離れた日本にいる僕らはピンと来ないかもしれませんが、この事実は極めて緊張感をもたらすものでした。イランはこれまでイスラエルを**間接的に攻撃することはあっても、直接的に攻撃することはなかったから**です。

その後、イスラエルは4月19日に、イラン中部ナタンツの核関連施設を攻撃することで再び報復します。このとき、これ以上はやってはいけないと国際社会はイスラエルをけん制したほどです。もしもイスラエルがパレスチナにやっているようなことをイランに対して行うと、本当に大戦争へと発展する可能性が高かった。

これ以降、攻撃をすることはなかったのですが、イランからすれば一発多く殴られているわけですから、内心は穏やかではないでしょう。

こうした状況のなか、5月19日、イラン北西部の東アゼルバイジャン州でライシ大統領とアミール・アブドラヒアン外相が乗ったヘリコプターが墜落し、2人は亡くなってしまいました。ライシ大統領は、最高指導者ハーメネイー師の後継候補と見られていたため、国内で権力闘争が再燃するとも言われています。

ライシ大統領が亡くなったことを受け、イスラエルの政治家らは、イランのライシ大統領の死を祝っているほどです。文化遺産大臣のアミチャイ・エリヤフにいたっては、「乾杯」というキャプションを添えてワイングラスをXに投稿しています。

こういう大人には絶対になってはいけません。

2023年3月、IAEA（国際原子力機関）は、イランの核施設で濃縮度が84％ほどの高濃縮ウランが見つかったと報告しています。イラン側は「意図しない濃縮が起きた可能性がある」と煙に巻いていますが、ウランの濃縮度が90％以上になると核兵器への転用が可能とされています。**イランが核兵器をつくれる状況にあ**

る可能性は極めて高いわけです。

イランは、あくまで平和的利用で核を開発しているとうたっています。実際、イランにはがん患者が多く、電気も足りていません。がん治療用の放射線治療や原子力発電所をつくるために核を開発しているという点も、たしかにあるでしょう。

この言い分を、当時のアメリカ大統領だったオバマは信じました。「分かった。では、監視つきでイランの核開発を進めさせよう」と提案し、約束が守られていれば段階的に経済制裁を解除していくと理解を示したんですね。

国連安全保障理事会の常任理事国であるアメリカ、イギリス、フランス、ロシア、中国およびドイツの6カ国とイランは、こうして「イラン核合意」を履行したわけです。

ところが、オバマの後に大統領になったトランプは、「イランは約束を守っていない。守っていないのに、経済制裁が緩和されて、財政が豊かになっていく。イランにとって都合のいい合意」であるとして、アメリカは「イラン核合意」を離脱します。オバマのときとトランプのときでは、イランに対する対応は180度変わりました。

トランプとイスラエルは、イランに対して強硬な姿勢を取り続け、ついには**イランの脅威を抑え込むために、前述したアブラハム合意を締結させる**にいたります。

しかし、バイデン大統領になって、イスラエルはパレスチナへの侵略を再開し、アメリカと中東諸国の距離も離れていってしまいました。**リーダーが変わるだけで、こうも外交は変わってしまう**――、分かりやすい一例です。

西側諸国と第三世界の対立は、かつてないほど鮮明になっています。現在、イスラエルが続けるハマスを口実としたパレスチナへの攻撃によって、さらに溝は深まっています。

その最前線にいるのが、暴走化しているイスラエルと、そのイスラエルを滅ぼすとうたっているイランです。ただでさえ危険な猛獣が、ドーピングをして高い興奮状態にあるような状況でにらみ合っている、そう想像すると分かりやすいかもしれません。

実際に、その影響はすでに生じています。

アラビア半島は、東にペルシャ湾、西に紅海があります。前者は、イランとサウ

●2つのルートの違い

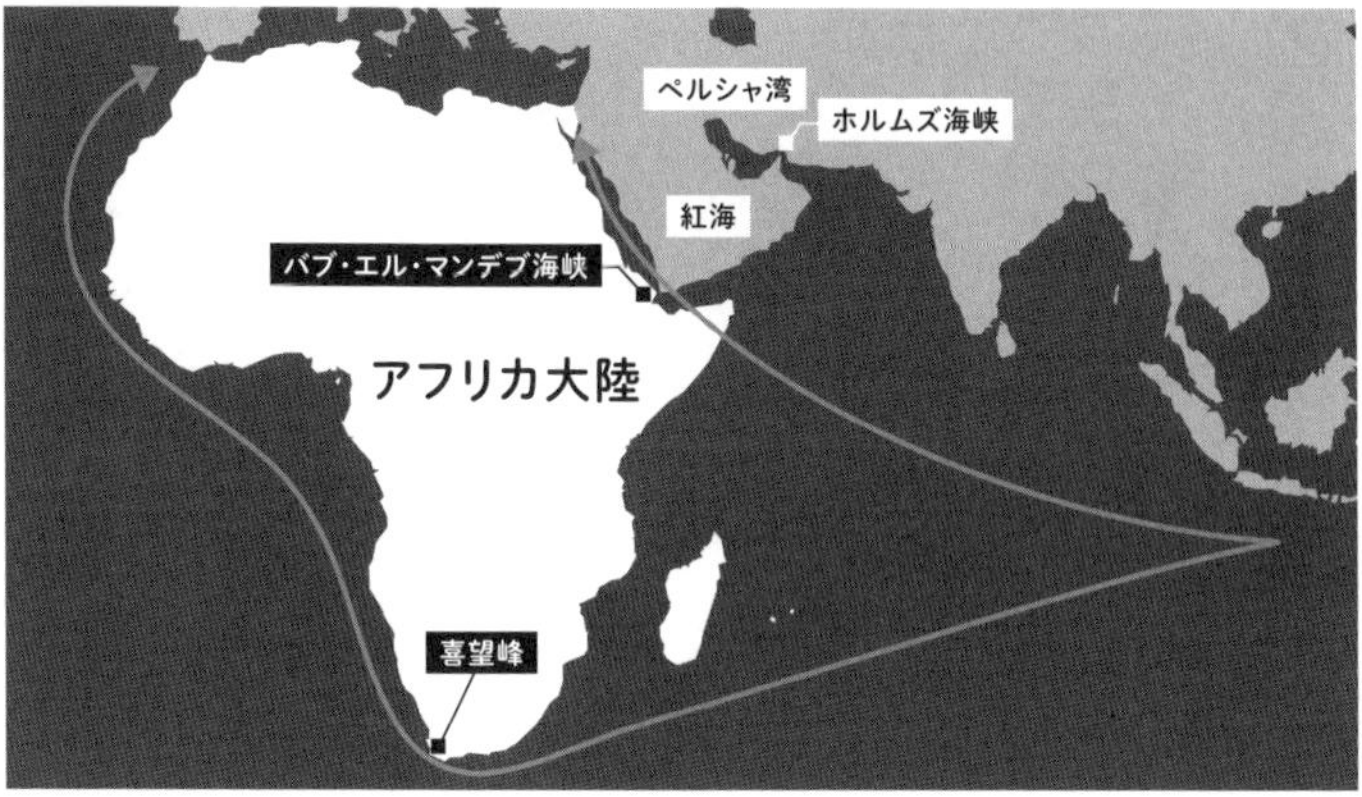

ジアラビアやアラブ首長国連邦（UAE）と向かい合う形で、後者はアフリカのジブチとイエメンが向かい合う形で形成されています。

このジブチとイエメンが向かい合う海峡を、バブ・エル・マンデブ海峡というのですが、イランが支援するイエメンのフーシ派はイスラエルに向かう貨物船を止めています。これを受けて、アメリカとイギリスはフーシ派の関連施設を攻撃し、応酬が続いているんですね。ジブチには、フランスやアメリカ、日本、中国といった国々が部隊派遣や拠点展開を行っているため、バブ・エル・マンデブ海峡は火種とも言われています。

危険度が増しているため、現在、バ

ブ・エル・マンデブ海峡を通るルートではなく、**アフリカ大陸の南端・喜望峰《きぼうほう》をぐるっと回る迂回《うかい》ルートで、貨物船は地中海を目指します**。スエズ運河を通ってバブ・エル・マンデブ海峡を通るルートと比較すると、およそ倍の時間がかかり、そのぶん、燃料コストもかかってしまいます。日本の貨物船も当然、影響を受けています。

イランがさらに厳しい態度を示す場合、アラビア半島の東側・ホルムズ海峡を封鎖する可能性も出てきます。日本の原油は、この海峡を通って運ばれてきます。

中東は3つの大陸のつなぎ目にあるということを思い出してください。物資の輸送ルートを大幅に変えてしまうだけの地理的条件を持っています。イランは、バブ・エル・マンデブ海峡とホルムズ海峡という要衝を監視下に置いているんです。

もしもこの2カ国が本格的な戦争を始めれば、**イスラエルの支援をアメリカが、イランの支援をロシアと中国が行う**ことは容易に想像できます。西側諸国はイスラエルを、グローバルサウスはイランを。

そうなったとき、僕たち日本人はどうするべきでしょう。

36 親日が多い中東で日本はどう対応するのが正解？

２０２３年10月７日のハマスによる大規模攻撃があった際、日本政府は、「領内への越境攻撃」を非難する半面、イスラエルの攻撃による死傷者についても同様に「深刻に憂慮」を示しました。事態の責任は、双方にあるともとらえることができる声明を出したんですね。

日本は長年、中東和平プロセスの促進に向けて努力してきたため、イスラエルとパレスチナ双方に対話を呼びかけ、冷静な対応を求めたわけです。

実際、Ｇ７加盟国中５カ国（アメリカ、イギリス、ドイツ、フランス、イタリア）がイスラエルを支援する共同声明を発表するなかで、日本はカナダとともに声明に署名しませんでした。しかし、その後、圧力があったのでしょう。日本は親イスラエルを表明します。

中東には親日の国が多いです。理由はいくつかあるのですが、その1つに田中角《かく》栄《えい》（第64代の総理大臣）の功績があります。

イスラエルとアラブ諸国が衝突した第4次中東戦争（1973年10月）が起きたとき、「イスラエルを支援しろ」とアメリカから要請がありました。しかし、時の首相であった田中角栄はそれを断りました。すでに日本は、アラビア諸国から石油を輸入している関係にあったため、イスラエルの応援をしたら石油が入ってこなくなる可能性がある。そうなった場合、アメリカは責任を取れるのかと突っぱねたんです。

日本は中東戦争に加担せず、あくまで中立の立場を貫き、その対応に中東諸国は信頼を置いたのです。

ほどなくして田中角栄は、1976年に発覚したロッキード事件によって、逮捕されてしまいます。

この事件は、アメリカのロッキード社（現ロッキード・マーチン社）が日本に対し、民間航空機トライスターの売り込みを行った際、日本の政財界に巨額の賄賂《わいろ》を渡し

たとされる事件でした。

日本という国は、中東では一目置かれる存在です。**イランからもサウジアラビアからも信頼を得ている日本は、中国に代わって両国の国交を正常化するだけの力だって持っていました。**

だけど、アメリカに追従している合間に、中国にすべてを持っていかれてしまった。もしかしたら、そんな外交を発揮するだけのアイデアも胆力もなかったのかもしれません。

いまからでも遅くはありません。

もし、日本が中東和平に対して真剣な態度を取ることができれば、中東において日本のプレゼンスは間違いなく向上します。

緊張感が高まり、万が一が起きたとき、日本は自立して考えなければいけません。

世界の軸が大きく変わろうとしているいま、僕たち日本はどちらを向けばいいのか。

この本を読んでいる皆さんなら、もう分かるはずです。

第5章

日本が生き残るために、僕たちから動き出そう

37 日本成長戦略① 「エコノミックフリーゾーン」

僕たち日本は、日本人は、どうしていけばいいのか――。

「日本は終わったコンテンツ、オワコンだ」などと自嘲《じちょう》する人も少なくありません。

断言します。そんなことはありません。

日本は、まだ挽回の余地が残されています。

このまま何もしなければオワコンになると思います。でも、僕たち1人ひとりが動き出せば、10年後の景色はまったく変わってくるはずです。

第5章では、日本が、日本人が、国際社会で何をしていくべきか僕なりの視点で提示していきます。

国をいい方向へと導くためには、優秀なリーダーが欠かせません。

現在、中東各国が大きく成長している背景には、次のような優れたリーダーが指揮を執っていることがとても大きいです。

ドバイ：ムハンマド首長（@HHShkMohd）
サウジアラビア：サルマン国王（@KingSalman）
サウジアラビア：サルマン皇太子（@HRHMBNSALMAAN）
カタール：タミム首長（@TamimBinHamad）
UAE：ムハンマド大統領（@MohamedBinZayed）
エジプト：スィースィー大統領（@AlsisiOfficial）

驚くような実行力と決断力とヴィジョンを持っているため、彼らのXをフォローすると中東のスピードがいかに速いかが分かると思います。裏を返せば、検討ばかりしている日本が、いかにのんびりしているかも分かります。

第1章で、僕はアラブ首長国連邦（UAE）のドバイに可能性を感じ、その後、幾度となく通うようになったと説明しました。何もなかった荒野の街が、どうしてわずか30年ほどで世界的な都市へと成長できたのか。

ドバイの戦略は、僕たち日本が見習うことがとても多いんですね。


意外かもしれませんが、ドバイは石油が採れません。

オイルマネーを背景に発展したと思われがちですが、ドバイは石油埋蔵量が少なく、質のよくない石油しか採油できない場所でした。UAEは、その名の通り7つの首長国から構成される連邦国家ですが、7つの首長国は、それぞれ独自の行政のもとで政治や経済を動かしています。

そのため、石油が潤沢に眠っていたお隣のアブダビは、オイルマネーを手にすることができましたが、石油の採れないドバイは別の道を模索するしかありませんでした。

当時のドバイの産業と言えば、木造船を組み立てる、海に潜って真珠を採る、あるいはラクダの運行くらいしかない状況。

はっきり言えば、八方ふさがりです。

そこでドバイは、**自由経済特別区、いわゆるエコノミックフリーゾーンを創設**す

●アラブ首長国連邦(UAE)の7つの首長国

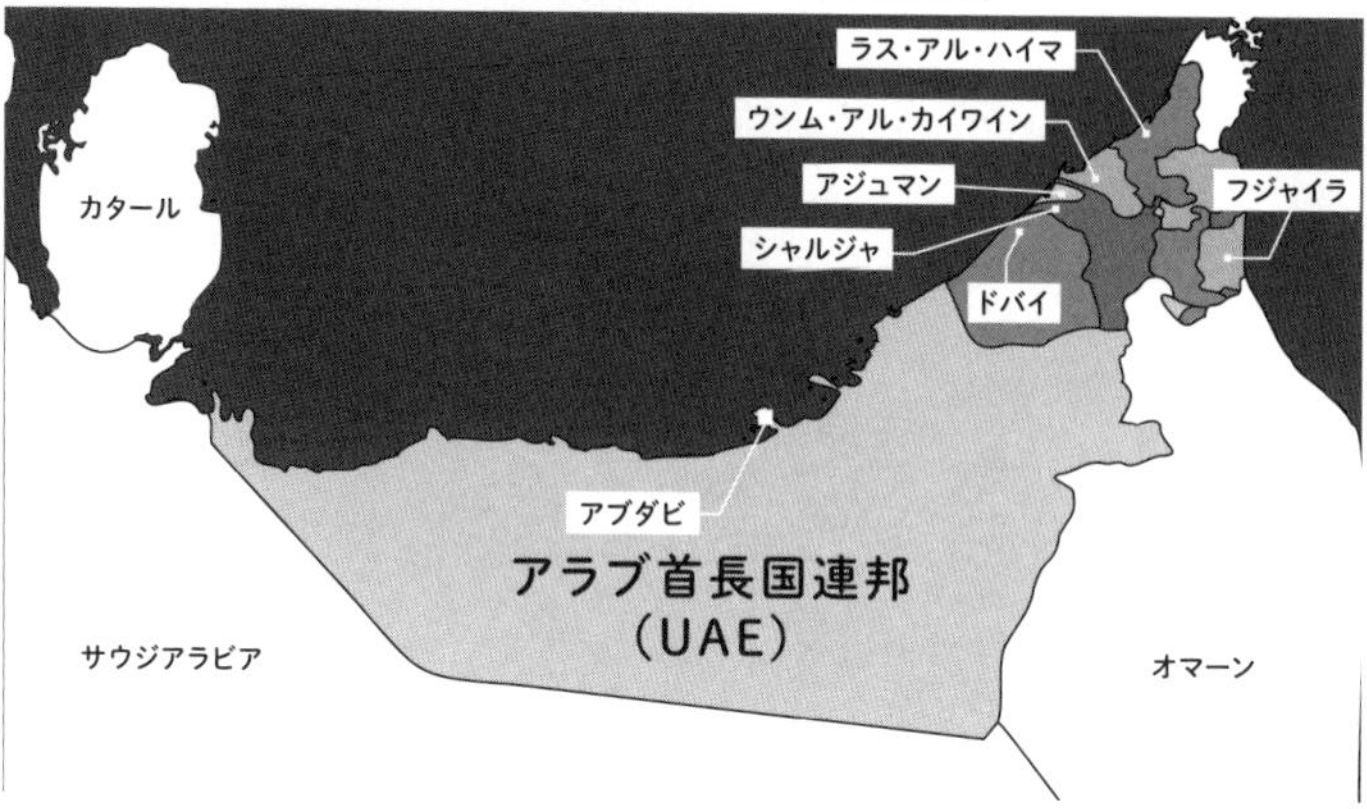

ることに活路を見いだします。

端的にエコノミックフリーゾーンを説明すると、**「同じエリアに同じ業種を集め、互いに自由競争させることでいいものをつくり出すことを前提としたエリア」**のことです。

さらには、**企業にかかる税金をほぼゼロにする**ことで企業にとって魅力的な条件をつくり出し、業種ごとに必要なインフラや法律、制度を調整しました。

石油こそ採れませんが、ドバイにはドバイ港とジュベル・アリ港というとてもポテンシャルの高い天然の良港がありました。ここを活用する形で、経済や貿易のハブになるために、フリーゾーンをつくろうと計画したわけです。

ドバイのエコノミックフリーゾーンはレベルも規模も桁外れです。

・金融業だけを集めた「ドバイ・インターナショナル・フィナンシャルセンター」
・貴金属業だけが集まる「ドバイ・ゴールド&ダイヤモンドパーク」
・映画製作の経済特区である「ドバイ・スタジオシティ」
・生花関係が集まる「ドバイ・フラワーセンター」

このように多種多様なエコノミックフリーゾーンが存在します。

現在、その数は約50カ所と言われ、世界中からさまざまな企業、人、モノが集まる、まるで現代のシルクロードのような場所になっているんです。

ドバイは、大陸のつなぎ目にあるという、この地が持ちえていた長所を最大限に生かすべく原点回帰を図ったとも言えます。日本でたとえるなら、東アジア、東南アジアを含む環太平洋からもっともアクセスのいい場所に、エコノミックフリーゾーンをつくるようなものでしょうか。

エコノミックフリーゾーンでは、自由競争が繰り広げられるので、いいものが生まれやすく、だめなものはすぐに淘汰《とうた》されるという循環を生み出します。

ショッピングセンターのフードコートをイメージしてみてください。おいしいお店が集まっていますよね？　おいしくないお店は人気がなくなるため撤退してしまいます。半面、**おいしいお店は残り、人気店が集うからこそ、お客さんもどんどん集まってくる**……ドバイにはそうした好循環があるんですね。

ドバイのエコノミックフリーゾーンの1つに「インターネットシティ」という、マイクロソフトがあるようなIT系のエコノミックフリーゾーンがあります。マイクロソフト1社がドバイに進出してくると、マイクロソフトの社員が世界中から何百人も集まってきます。

IBMもインテルも進出し、移住してくるわけですから、働く人たちが暮らすための家が必要になります。もちろん、学校や病院も必要だし、生活するための商業施設やショッピングモールも活性化します。こうして経済は回り、ドバイにお金が落ちる。

分母を増やすだけでなく、**質の高い企業のビジネスパーソンが増えることで、ド**

バイ経済は雪だるま式に成長していったというわけです。

ドバイには「200 Nations 1 Country」という言葉があります。200の国籍を持つ人々がドバイに集まり、1つの国を形成する。良質な人やものが集まる仕組みをつくったからこそ、今日のドバイの隆盛はあります。

僕が会計事務所にいたとき、顧客である外国人経営者が、「ドバイにあらゆるものが集まり始めている」と話してくれたのは、ドバイの巧みな戦略が花開きつつあったからなんです。

38 日本成長戦略②「政府系ファンド」

ドバイが行ったことは、エコノミックフリーゾーンだけではありません。
ドバイには、「ドバイ投資公社」というドバイ政府が持つ**政府系ファンド**があるのですが、潤ったお金を政府自らが外国企業に投資していくことで、資産を増やしていくという考え方があります。

フリーゾーンによって生まれたお金を、投資という形で増大させることで、ドバイはさらなる成長を遂げたんです。

中東の政府系ファンドは、主に石油や天然ガスを売ったお金を貯金して運用していくタイプです。対して、貿易の中継地点としてものを販売することで政府が得たお金を貯金して運用していくタイプもあり、その代表例が中国、香港、シンガポールなどです。

次ページの表は、政府系ファンドの総資産額ランキングですが、トップ10を見てみてください。第1位こそ北海油田の石油ファンドであるノルウェー政府年金基金ですが、第2位以下はずらりと湾岸諸国と中国が並んでいます。

いま、**世界でお金を持っている国はアメリカでもイギリスでもなく、中国とアラビア半島にある**ことが分かると思います。この2つの地域が手を組み始め、エネルギーも豊富に持っている。

こうした観点からも、中東が世界の中心に躍り出ようとしていることが分かるはずです。

ドバイは外国企業をたくさん誘致し、外国人に経済を回してもらう仕組みを築きました。そして、ドバイに滞在する外国人は、エミレーツ航空（航空会社）、エマール・プロパティーズ（不動産）、ジュメイラ・グループ（高級ホテルグループ）といったドバイの政府系ファンドの下に位置する企業にお金を落とします。さらにそのお金を使って、成長が見込める国に投資を行い、利益を増やしていく。

● 政府系ファンドの総資産額ランキング(2023年5月)

1位	ノルウェー	Norway Government Pension Fund Global	$1,371,813,762,200
2位	中国	China Investment Corporation	$1,350,863,000,000
3位	中国	SAFE Investmen Company	$1,019,600,000,000
4位	UAE	Abu Dhabi Investment Authority	$853,000,000,000
5位	クウェート	Kuwait Investment Authority	$750,000,000,000
6位	シンガポール	GIC Private Limited	$690,000,000,000
7位	サウジアラビア	Public Invetment Fund	$650,000,000,000
8位	香港	HK Monetary Authority Investment Portfolio	$514,223,020,000
9位	シンガポール	Temasek Holdings	$496,593,722,700
10位	カタール	Qatar Investment Authority	$475,000,000,000

出典:Savereig Wealth Fund Institute

エコノミックフリーゾーンと政府系ファンド、この両輪が回ることで、ドバイは大きく豊かになっていったんですね。

日本にも、GPIF(年金積立金管理運用独立行政法人)という年金基金があります。政府が運用しているため、GPIFを政府系ファンドとしてとらえる考え方もありますが、先に挙げた海外の政府系ファンドとは、決定的に違うことがあります。

政府系ファンドは、政府が運用することに加え、あくまでその原資は政府が行っている投資やビジネスで得たお金です。

一方、ＧＰＩＦの原資は、僕たちのお金。**僕たちが稼いだお金から勝手に差し引かれたお金（年金）を運用しているの**で、政府系ファンドとはまったく違います。**政府系ファンドは、僕たちのお金を勝手に奪うようなことはしない**んです。

政府系ファンドができる国とできない国があるのではないかと思う方もいるかもしれません。資源がある、フリーゾーンがある、そうした理由がないとできないのでは？　と思うかもしれないですが、**やろうと思えば日本だって可能**なんです。現に、シンガポールは政府系ファンドを生かして、巧みに成長した国でした。

シンガポールの場合は、シンガポールの基幹産業と言われているシンガポールテレコム、ＳＴエンジニアリング、シンガポール航空、ＤＢＳ銀行、キャピタランドといった国を代表するような企業の株を、テマセク・ホールディングスという政府系ファンドが保有しています。

興味深いのは、これらは国営企業ではなく、あくまで民間企業ということです。上場企業であり、外国人や外国人経営者もたくさんいるのですが、その株を大量に保有しているのは政府。**国が保有し、経営はできる人に任せる**という、とても理に適った運営をしているんです。

そうした状況をつくり出したうえで、世界に対して投資も行います。保有している株の割合は、31%がシンガポール企業、69%が海外投資と言われています。テマセク・ホールディングスは、積極的に海外に投資をすることで、お金をどんどん増やし、国民に還元するスタイルによって、現在の成長を実現させたわけです。

シンガポール建国の父であるリー・クアンユー元首相は、「一生のうちに年金だけで2回家を建てられる国にする」という言葉を掲げ、資源のない小国にすぎなかったシンガポールをアジア屈指の金融国家へと成長させました。こんなリーダーがいたら、一生ついていきたいと思いますよね。

かつて日本にも、こうした構想を真剣に考えるべきだと唱えた人物がいました。「経営の神様」と呼ばれた、パナソニック（旧・松下電器産業）グループ創業者・松下幸之助です。

松下幸之助は、「**国徳国家**」を説いています。

要約すると、仮に1兆円を国民が食べて寝て、そして1割剰余が出た場合。その1割のうち8割を国が使い、余った2割を外国に寄付しようという考え方です。ここで言う寄付を投資に変えたのが、政府系ファンドに当たります。

日本の予算制度というのは、年次単位で決まっています。たとえば、「2024年度の予算は100万円です」と決められたら、役所は100万円を使い切るようにします。なぜなら、**もしも50万円で十分まかなえたら、来年度以降は減らされる可能性があるから**です。そのため、無駄でもなんでもいいから、とにかく100万円を使い切ってしまうんですね。

企業に当てはめたら、これはありえないことです。

会社で言えば、今年度の売り上げが1000万円だった場合、この予算のなかで来年度を考えなければいけません。1000万円から諸経費や税金を差し引いて、100万円の利益が残ったとすると、企業はこの100万円を翌年に繰り越します。翌年、また利益が100万円出たので、合計200万円分のプールがあることになります。企業は**こうした剰余を株主に配当したり、先行投資に使ったりする**わけです。むやみやたらに使い切るのではなく、理に適った使い方をする。この原理を、社会にも応用できないかと「経営の神様」は考えたわけです。

パンデミックのようなことが起きたり、天災による大きな被害が発生したりすれば、通常よりも予算はかかります。年度によってかかる予算は異なるはずなのに、今年も100万円、来年も100万円、再来年も100万円という具合に予算を決め、さらには使い切るようなシステムにすれば、財政が赤字になってしまうのは当たり前です。松下幸之助が考えたアイデアは、いまでは世界で当たり前のように行われているというのに。

現在、ドバイのあるアラブ首長国連邦（UAE）は、国民全体の約10～20%が自国民、残りの約80～90%が外国人で形成されています。自国民であれば医療費は無料、教育費も無料、所得税、相続税、贈与税といった税金も無税です。唯一、2018年から導入された消費税5%があるくらいです。月給100万円の仕事に就いている人であれば、所得税も社会保障費もないわけですから、そのまま手取り100万円ということになります。

ドバイのような経済戦略を描くことができれば、多くの外国人が日本で働くことによって相乗効果も生まれるでしょう。しかし、現在、日本が行おうとしている施策は、人手不足の業界を安い労働力で補うための門戸の拡張です。

2023年7月に、岸田首相はサウジアラビア、UAE、カタールの3カ国を訪問し、帰国後の会見で、UAEの人口は1000万人であるものの、自国民は100万人で900万人の外国人と共生している、外国人を大量に受け入れて国を成り立たせている——といったことを話していましたが、まったく論点がズレていることが分かりますよね。

外国人を受け入れるならば、きちんと機能するような戦略とアイデアがなければいけません。また、ドバイは治安がとてもよいことでも有名です。これは外国人1人ひとりのIDチェックを徹底しているからでもあります。

ドバイには、どうやって生き残ればいいのか、そのヒントがたくさんある。


ドバイの首長であるシェイク・ムハンマドは、イギリスBBCのインタビューで、「なぜそんなに改革を急ぐのでしょうか?」と尋ねられたことがあります。そのとき彼は、「いまの国民に20年後、30年後に豊かになってもらいたいわけではない。**国民にいますぐ豊かになってもらいたいから急ぐんだよ**」と答えました。国のリーダーとは、こうあるべきです。

39 サウジアラビアは文字通り「変革」していた

そして現在、その**ドバイを猛追している国がサウジアラビア**です。サウジアラビアもドバイにならう形で、エコノミックフリーゾーンと政府系ファンドを活用し、石油に依存する社会から脱するために変革のときを迎えています。

サウジアラビアは、新しい経済構造の目標を2030年と定めています。「サウジアラビアビジョン2030」と題されたこの計画は、脱石油経済はもちろん、世界的な貿易拠点を目指し、「NEOM（ネオム）」という未来都市までつくると宣言しています。

僕は2024年の春に、久しぶりにサウジアラビアを訪れたのですが、その変貌っぷりに腰を抜かしそうになりました。

新しい建物が完成していることはもちろんですが、女性たちが自由に楽しそうに

気さくに声をかけてくれるサウジアラビアの女性。

街中《まちなか》を歩いている――。少し前までの保守的で男尊女卑的なサウジアラビアからは想像できない光景が広がっていたんですね。街を歩いていた女性たちにインタビューをしてみたのですが、僕がYouTuberだと知ると、どんどん女性が集まってきて「一緒に写真を撮ってください」とせがまれました。思い思いにポーズを取っている彼女たちの姿は、なんだか中東の未来がとても明るくなる予感がして、とてもうれしく感じたほどでした。

未来都市構想を掲げるように、サウジアラビアのアルウラ山の中腹には、岩壁が連なる荒野の砂漠に、突如、全面鏡貼

全面が鏡貼りの「マラヤ」。奥の岩肌と一体化して見える。

りの巨大な箱「マラヤ」（鏡という意味）が誕生していました。ここは国際展示場のような施設なのですが、そのサイズ感の施設が全面鏡貼りになっていると想像してください。月面にいるかのような錯覚を受けるほど、SF的な光景が砂漠のど真ん中に現れるんです。

紅海に面するジェッダ港の「キング・ファハド・ファウンテン」という噴水は、なんと高さ320メートルまで水が上がる、世界でもっとも高い噴水です。ドバイに負けじと、**サウジアラビアでもたくさんの「世界一」が誕生しようとしています**。

歴史的な遺産も豊かです。紅海に浮かぶ水上モスク「ファティマ・アル・ザハラ・モスク」（サウジアラビアで行われるF1グランプリのコースは、このモスクの目の前を通ります）、2008年にサウジアラビア初の世界文化遺産に登録された、サウジアラビア北西部にある古代ナバテア人の都市遺跡「マダイン・サーレハ」など、サウジアラビア各地で観光資源の有効活用化が始まっています。

なかでも、観光促進政策によって、2022年からイスラム教徒以外の外国人も、聖地メディナにある世界最古のモスク「クバモスク」に入れるようになったのは驚きです。さすがに、「預言者モスク」（ムハンマドの霊廟）のなかには異教徒は入れませんが、2016年の改革以降、すさまじいスピードで国が色彩豊かになっていることに、僕は驚きを隠せませんでした。

変革期にあるいまのサウジアラビアは、新鮮な体験と世界のうねりを感じることができる最先端の場所だと断言できます。

40 「交渉が苦手な日本」はもう卒業しよう

皆さんも、サウジアラビアに世界初の『ドラゴンボール』テーマパークができるというニュースを見たと思います。完成は2030年を予定し、東京ドーム10個分以上の広大なエリアに、作中に登場する「カメハウス」や「カプセルコーポレーション」が再現されると計画されています。

このニュースだけを見ると、とてもワクワクする話ですよね。

でも、**どうして日本ではなく、サウジアラビアにできるのか**と思いませんか？

実は、サウジアラビアのサルマン皇太子は、アニメやゲームを愛する人物としても知られていて、日本のコンテンツが大好きです。サウジアラビアでは、「SAUDI ANIME EXPO」というイベントが開催されるくらい、国内、とりわけ若い世代でアニメやゲームが大人気で、特に日本のアニメやゲーム、漫画は幅広い世代から愛されています。

コンテンツ産業に力を入れることは、サウジアラビア国内で課題となっている若年層の雇用向上にもつながり、『ドラゴンボール』テーマパークもその一環というわけです。

こうした分野に集中投資をしていくというのがサウジアラビアの考え方で、2023年2月にはサウジアラビアの政府系ファンド、パブリック・インベストメント・ファンド（PIF）が**任天堂株を買い増し、保有比率が8・26％である**ことが明らかになったほどでした。この数字は、任天堂の発行済み株式の最大株主を意味しています。

つまり、サウジアラビアの政府系ファンドは、日本のコンテンツ業界にも食指を伸ばしてきているということです。

内閣官房作成資料によれば、2022年の日本のコンテンツ産業の輸出額は4・7兆円で、鉄鋼に匹敵する規模です。この数字は、漫画やアニメ、ゲームなどが日

本を代表する産業であることを十分に物語っており、政府は日本のコンテンツ産業の制作現場を官民連携で支援し、海外展開をさらに後押しする戦略に取り組むとうたっています。

ですが、過去にはクールジャパン戦略で結果を残していない手痛い前例もあるだけに、どれだけ理解しているかは不透明です。

サウジアラビアの政府系ファンドが、任天堂の最大株主になっているというのは、日本のＩＰ（知的財産）が狙われているるということです。日本政府は、海外展開を後押しするだけではなく、つくり手の保護や育成にもっと力を注いでいかなければいけないんです。

サウジアラビアからすれば、こうしたコンテンツに強い日本とタッグを組むことで、自国の漫画やアニメ、ゲームといったコンテンツ産業を成長させたいと考えています。

ということは、**外交の駆け引きが可能になる**ということです。

取引をするとき、双方にとって望ましいのは互恵が生まれることです。「日本は、サウジアラビアにこうした産業のノウハウを教えるから、その代わりに……」と話を進めるのが外交の側面でもあるわけですから、日本政府はカードを有効に使っていかなければいけません。

ところが――。

2024年5月、サルマン皇太子は日本を訪問予定でした。訪日中には、岸田首相との会談や天皇陛下との会見が予定されていたのですが、直前になってキャンセルになってしまいました。

日本サイドは、「皇太子の父である国王サルマンの健康状態が理由で訪日が延期された」と発表していましたが、そもそもこの訪日は、サウジアラビアサイドではいまだ公式に発表をしていない状況で、日本の外務省とマスコミが一方的に発表したにすぎませんでした。

そのため、僕はXで、「キャンセルになるのではないか」と予想していたのですが、蓋を開けると、まさにその通りになってしまいました。

なぜ予想できたかと言うと、日本サイドの一方的な発表であることに加え、イスラエルのパレスチナ侵攻を止めさせるべく、アメリカへ圧力をかけるための会議が、サウジアラビアを中心に湾岸諸国間で連日のように開かれています。こうした事実に鑑みれば、訪日の優先順位は低く、ましてやアメリカに盲従する岸田政権に会ったところで、サルマン皇太子にはメリットがないからです。

実は岸田政権になってから、サルマン皇太子のキャンセルは、これが初めてではありません。なんと2回もスルーされているんです。**サウジアラビアは、アメリカと距離を取ったように、確実に日本との距離についても再考しています。**

サルマン皇太子は日本の漫画やアニメが大好きで、日本に対してリスペクトをしている人物です。だけど、日本政府に対しては不信感を募らせている——。

「政府は何をやっているんだ」と怒るのは簡単です。でも、怒るだけでは何も変わりません。だから、僕はこう考えます。

「だったら、僕ら1人ひとりが、『やっぱり日本人って信用できるな』ということを彼らに示していけばいい」

自立すべきとは、日本という国だけではなく、僕ら日本人にも言えることです。

民間外交という言葉があります。

その名の通り、政府関係者に頼らず、民間人や民間団体が行う外交活動のことを意味します。

国や政府が信用できないなら、自分が、自分を信じてくれる誰かと一緒に信用をつくり出していけばいい。あきらめたり、絶望するのはもったいない。自分から動き出せばいいんです。

未来をひらくためには、自分から動き出さないといけません。

41 僕らは「CtoG」の時代を生きている

1人ひとりが意思を持って行動すること。

極端な例ではあるけれど、2010年から2012年にかけて**アラブ諸国で発生した民主化運動「アラブの春」は、民間人による力が爆発したデモ**でした。

リビアでは42年間に及ぶムアンマル・カダフィ政権が崩壊し、チュニジアでは23年間続いたザイン・アル＝アービディーン・ベン・アリー大統領政権が崩壊しました。

イエメンでは、約30年にわたって大統領の地位にあったアリ・アブドゥラ・サーレハ大統領が退陣し、シリアでは一党独裁が続いていたアサド大統領が、アメリカなどが支援する自由シリア軍と交戦する事態になりました。その結果、シリア内戦、イエメン内戦などに発展し、今日まで続く混乱を生み出しています。

「アラブの春」は、必ずしもいい結果をもたらしたとは言えないでしょう。ですが、この騒乱を機に、新しい時代の扉がひらいたことは間違いありません。

崩壊したアラブ諸国は、それまで独裁政権を築いてきました。都合の悪いことは隠蔽できる体制で、それこそメディアの情報もコントロールできる状態にあったほどでした。当然、国民は真実を伝えられないまま暮らしていかなければいけません。でも、そんなバカげたことが許されるわけがないですよね？
「変だな」「何かおかしいぞ」と思ったら、みんなも自分たちで調べたりすると思います。だけど、その手段がなければ、僕たちは盲目的にならざるをえません。そうした状況が続いていたから、何十年も同じ大統領がトップとして君臨することができたわけです。

ところが、X（当時はTwitter）やFacebookといったＳＮＳが登場したことで、外の世界の情報を得られるようになりました。「アラブの春」は、ＩＣＴ（Information and Communication Technology）と呼ばれる情報通信技術がもたらしたもので、ＳＮＳでつながった少数のデモから始まった革命でもあったんです。

彼らのデモを、中東の衛星テレビ局「アルジャジーラ」が取り上げたことで、運動は加速度的に拡大。アラブ圏を席巻するほどの大規模反政府デモへと展開されていったのです。

「それっておかしくない？」という小さな疑問は、束になるととてつもないパワーを生み出します。

「蟻《あり》の穴から堤も崩れる」とはよく言ったもので、堅固な堤も小さな蟻の穴がもとで崩れることもある。独裁政権は都合のいい情報しか流してこなかったのだから、本来ならヒビが入ることはなかったかもしれない。

でも、スマホの普及が堤を壊し、民衆を外海へといざなった。

ＩＣＴの発展によって、独裁をひっくり返した「アラブの春」は、**僕たち次第で物事は変えられることを示した現代の革命**でもありました。

僕は、デモをしましょうと言いたいわけではありません。

伝えたいことは、**新しい技術は新しい扉をひらく武器になる**ということです。

「アラブの春」は、ＳＮＳがあったからこそ生まれました。新しい技術やサービスを使うことは、いままでとは違う状況をつくり出せるということです。

交通・通信の発達により、民間レベルの国際的な行動や交流は、これからどんどん加速していきます。閉塞感を抱いていても、新しい技術やサービスが生まれたら状況は変わるということ。

実際に、僕自身もFacebookなどのSNSを使って民間外交をしてきました。アゼルバイジャンでは、「ジャパンエキスポ」を2回開催し、政府の要人の皆さんと一緒になってアゼルバイジャンと日本をつなぐ活動をしています。詳しくは、前著『第三世界の主役「中東」』（ブックダム）に書いているため省きますが、彼ら彼女らは民間外交を求めています。

僕は、政治家でもなければ肩書のある大学の教授でもありません。ただただ、世界で何が起こっているのかを知りたくて、現地へ行って体験する――。それを繰り返していただけにすぎません。

行きたくて行っているだけですから見返りはないし、渡航費も自費です。でも、そんなことを繰り返しているうちに、僕の好奇心が伝わったのか、たくさんの人が多岐にわたる人を紹介してくれ、いろいろなことを手がけるようになったんです。

モンゴルでは、同国の外務省の友人経由で、モンゴル馬肉加工会社の社長から「ワンちゃん用の馬肉ジャーキーを日本に展開したい」という相談を受け、天然ハーブで育った無添加の100％馬肉ジャーキーを、日本で販売しました。

モンゴルは、共産主義から脱却する際に日本が援助を行ったこと、そしてその後も日本のODA（政府開発援助）によって数々のプロジェクトが実現したこともあり、**国民の多くが日本への深い恩義を感じている国**です。

そのため、日本が2011年に東日本大震災に見舞われたとき、モンゴルでは国家公務員全員が1日分の給与を義援金として日本に寄付してくれました。こうした縁を無駄にしてはいけないですよね。

僕の知人の1人に漫画を描いている女性がいます。

彼女はインドで連載を持つような海外に向けて漫画を描く漫画家なのですが、あるとき、「石田さん、エジプトで漫画を描いてみたいのですが、どうしたらいいですか？」と相談されました。

特にエジプト人の知り合いもいないと言うので、「僕はFacebookでエジプト人の知り合いとたくさんつながっていて、漫画に興味を持つ人もいるから紹介します」と双方をつなげることにしたんですね。

するとそれをきっかけに彼女はFacebook上で、漫画に興味を持つエジプト人とどんどん友だちになっていきました。

サウジアラビアもそうですが、中東では日本の漫画やアニメが大人気です。その日本で漫画を描いているということは、彼ら彼女らからすれば〝あこがれの的〟。自分たちにも描き方やコツを教えてほしい――。

まるで先生のような存在に映るわけです。

Facebook上で交流を続けた彼女は、ついにエジプトの出版社とつながり、目標だったエジプトで漫画を描くということを、一度もエジプトに行ったことがないのに実現させてしまいました。

そして、それを機に、アルジェリアの大使館から連絡が届き、「アルジェリアでアニメのイベントをやるのですが、そこで講師をやってもらえないですか？」とオファーされたとも教えてくれました。招待ですから、もちろん旅費はアルジェリア持ち。**いまは、思いがあって手を伸ばそうと努力すれば、〝実〟に届きやすい時代**

なんです。

インターネットは時代とともに進化し、僕たちの生活を劇的に変えてきました。

インターネットが登場したときは、企業（B）は外国企業（B）にインターネットを使ってアプローチしてビジネスをつくってきました。**BtoBで国境を越えた**とも言えます。

企業は、ホームページを続々と立ち上げ、商品カタログや問い合わせフォーム、Eメールが主流になっていく時代です。この状態をバージョン1・0の時代だとします。

しかし、この時代は、個人がインターネットにつなぐにはまだまだ従量制が当たり前だったため、つないだ時間だけお金がかかるという環境でした。いまのように常時接続は敷居が高かったんですね。

ところが、2000年に入ると、ISDN、ADSL、そして光ケーブルという具合に常時接続が普及し、生活者の間でもインターネットは爆発的に広がりを見せます。企業（B）は外国の消費者（C）にEC（電子商取引）というアプローチでビ

● 越境3.0

C（消費者）とは、僕たち一般人のこと。SNSという個人発信のメディアができたことで、僕らは直接、政府とつながることができるようになった。

ジネスをつくり上げることができるようになりました。**B to Cで国境を越える、**バージョン2・0の時代が到来します。

そして2000年代後半になると、iPhoneやAndroidといったスマートフォンが登場し、2010年以降、瞬く間に世界中に浸透するようになります。Facebook、LINE、WeChat、X、Instagram、TikTokなどいつでもどこでも手軽にコミュニケーションができるSNSが台頭し、先述したように外国の政府関係者（Government）ともつながれる時代になりました。

いま僕たちは、C to Gで国境を越えるバージョン3・0の時代——越境3・

0の時代に生きています。

僕は2018年、海外政府と連携した新興国の課題解決プロジェクト「越境3・0オンラインサロン」を立ち上げ、YouTube「越境3・0チャンネル」も開設しました。越境3・0という言葉には、そうした意味が込められています。

国の将来は不透明、日本の政治家は自分のことだけしか考えない。がっかりしちゃいますよね。

でも、彼らのいいようにされてはいけません。僕らはCtoGの時代に生きているのだから。

42
「検討使」のままでは海外から相手にされない

これまで僕は、さまざまな国を訪問し、さまざまな外国人と接してきました。交流を持つときに心がけてきたのは、**事前に相手の国の歴史や文化について調べておく**ことです。サウジアラビアへ行くなら、現地の人が「よく知ってますね！」と驚くくらい、サウジアラビアのことを調べておくこと。オーストラリアのシドニーへ行くなら、シドニーについて調べていくこと。

現地で出会った人や風景に、ただただ圧倒されるのではなく、前後がつながるように知識を準備しておくことが大切です。

サウジアラビアであれば、「どうしてサウジアラビアには砂漠が多いんだろう」「砂漠なのに生活できるの？」といった小さな疑問から調べていく。難しい本を読まなくても、連想ゲームのような感覚で、湧いてきた疑問をインターネットで調べていくだけでも十分です。**その疑問が、知識や教養をつくり出す**んですね。

そのうえで、どんな人にもフレンドリーに接することです。萎縮せずにフランクに接してみる。僕は英語が達者ではないけれど、ボディランゲージや表情を含めて全身で表現すれば、気持ちは伝わります。

「世界の果てまでイッテQ！」に出演する出川哲朗さんが繰り出す英語、通称・出川イングリッシュを見ていても分かるように、大切なのは気持ちです。**うまく話せるかではなく、どう伝えるか**です。その際に、萎縮や自信のなさは外国人が嫌う態度として映ってしまいます。

外国の政府関係者や自治体の要人と接するときも変わりません。無理をして自分を着飾るよりも、そのままの自分を出したほうが相手もフレンドリーに接してくれます。偉い人だからといって他人行儀で接すると、お互いに心をひらけないまま時間だけが過ぎていきます。

誰かの懐に飛び込んでいくときは、着飾らない自分でいることが大事。たとえ言葉に自信がなくても、いまの時代はスマホアプリの翻訳機能もあります。言葉の拙《つたな》さを補完する技術やサービスがあるわけですから、状況を変えることができるはずです。

そのためにも、事前に調べた知識や教養が必要なんですね。フランクだけど、きちんと相手のことをリスペクトしていることが伝わる。こうした姿勢が大事なんです。

そして、僕が出会った外国人が異口同音に話すのが、「**態度を保留することが嫌い**」という点です。

外国は決断が速いです。特に、グローバルサウスの国は速い。昔と違い、新興国の成長のスピードは速くなっています。

インターネットがあって、スマートフォンがある。現在、全世界のスマホユーザーは55億人を超え、その普及率は70%を超えていると言われています。信じられないかもしれませんが、世界では銀行の口座を持っている人より、スマホを持っている人のほうが多いくらいなんですね。

途上国はまだまだ豊かではないため、銀行は一部の裕福な人のためにしか機能していません。一方で、出稼ぎなどで得たお金は親のもとに仕送りとして送金したい。でも、口座はない。そうした背景もあって、アフリカなどではモバイル送金が台頭したという事実もあるほどです。スマホは、インフラを変えてしまう力を持ち、経済を底上げしてしまう存在でもあるわけです。

急成長している国は、それだけ成長が速いため、決断も速い。そんな彼らからしたら、「日本人とビジネスの話をするとき、いつも『持ち帰って検討します』と言われる。あれはいったい何なんだ？」とぼやくわけです。日本人は萎縮してフリーズしているんじゃないかと笑われるんですね。そう指摘されるたびに、僕はいつも苦笑しながら言い返す言葉を探していました。

いまから8年ほど前に、僕はナイジェリアへ行きました。そのとき、お願いしていないのに銀行の頭取や上場企業の社長など、次から次へと紹介してもらったことがありました。きっかけは、友人であるナイジェリア人女性との会話でした。

彼女は、ジェトロなどで講演をするくらい日本語が上手なのですが、ナイジェリアの魅力を熱弁してくれたんですね。

「ナイジェリアは産油国で、アフリカではもっとも人口が多く、ものすごい勢いで成長している。たくさんお金持ちもいて、彼らは日本食や日本のお酒にとても関心が高い。日本の商品に対するニーズがとてもあるのに、そういった商品が国内にはぜんぜんないんです」

そのため、彼女は日本のさまざまな企業にプレゼンし、一度ナイジェリアに来てくださいと話して回ったそうです。ですが、そのすべての反応が、「ナイジェリア面白そうですね！　一度、社内で検討してみます」というもので、1カ月経っても、2カ月経っても返事はなかったそうです。

でも僕は、彼女の話を聞いていて、ナイジェリアを実際に見てみたいと思いました。その場でナイジェリア行きの航空券を予約すると、彼女はものすごくテンションが上がり、「来た際にはぜひ、いろいろなものを紹介させてください」と笑顔で握手してくれたんです。

そして、実際に訪問すると次から次へと人を紹介してくれた。「どうしてこんなに紹介してくれるの？」と彼女に聞くと、「だって石田さんは、YES・NOの判断を、すぐにしてくれるから」と笑って教えてくれました。

アゼルバイジャンで「ジャパンエキスポ」を開催したときにも感じたことですが、彼ら彼女らからすれば、**やる気があって、行動力がある人であれば、政府関係者や肩書のある人物であるかどうかなんて関係ありません。**

「検討します」という言葉は、一見もっともらしく聞こえるけれど、その実態は自分をフリーズさせてしまうだけの負の言葉です。自分に責任の所在を置かないための詭弁《きべん》（こじつけ）とも言えるかもしれません。「検討したのですが、上からOKがもらえなくて」、そう言えばもっともらしく聞こえます。でも、外国でこの考えは通用しません。

興味がない、実現できない、何かしらの理由でOKにならないなら、すぐに断ればいいんです。検討するという言葉は、その可否がどちらに転ぶか分からないわけですから、相手に気を遣わせるだけです。

「行けたら行きます」という言葉を使ったことがある人は、きっと多いと思います。この言葉も同類ですよね。相手を気遣っているつもりかもしれませんが、レスポンスがない限り、ずっとこちらに合わせて待っていてくれるかもしれない。「気遣い」ではなく、実際は「負担」ですよね。そんなことを繰り返していたら、どんどん信頼関係は失われてしまいます。

交流をするときは、自分の意思を明確にすること。交流をしているということは、一歩を踏み出しているということです。その時点で、自信を持っていいんです。

43

国の文化も個人のアイデンティティも尊重しよう

日本人が態度を保留する癖《くせ》があるように、外国人にも特徴があります。

その1つに、**コロコロと意見を変えることが珍しくない**ということです。

会計事務所時代は、毎日そういったことが起きていました。それこそ約束を守らない、時間を守らないのは日常茶飯事。

でも、そうしたことに腹を立てても、自分が損をするだけだと気がついたんですね。怒るとその日1日中気分が悪いし、誰かに八つ当たりする可能性も高くなる。イライラするから仕事もはかどらない。何もいいことがないんです。デメリットしかないわけですから怒ることをやめました。

厳密に言えば、「**感情的に怒るのをやめた**」です。

僕は何かを指摘する際は、プロセスに対して苦言を呈するようにしています。「この前言っていたことと違うじゃないか！　どうなっているんだ！」と瞬間湯沸かし器のように怒ることもできますが、「いやいや○○さん、この前の話ではそうではなかった。どうしてそうなったのか経緯を教えてください」と説明を求めることで、冷静に物事を進めることができます。

そのうえで、「これは付き合えないな」と思ったら、こちらから距離を置いて、離れればいいだけのことです。

怒るという行為は、日本では珍しいことではありませんが、国によっては屈辱的な行為と受け取られることが珍しくありません。誰かがいる前で怒られようものなら屈辱を味わわされたと解釈し、逆上することもあります。

ですから、**怒ることに対してあまり感情的にならないことも、外国人と交流を重ねていくうえで大切**だと思います。

分かりやすく言うなら、尊重する姿勢を持つことです。そのためには想像する姿勢を忘れないことです。

みんなの前で、怒鳴られたり、怒られたりしたら、誰だって嫌ですよね。日本では一般的でも、場所が変われば一般的ではなくなる。これも想像すれば、なんとなく理解できるはずです。

僕は、アイデンティティを尊重することがとても大事だと思っています。イスラム教を説明した際にも触れましたが、主語を大きくしてしまうと本質は見えづらくなってしまいます。イスラム教徒だからハラルミートにしなければいけないと考えてしまうけれど、一歩間違えると**〝思いやり〟ではなくて〝思い込み〟**になってしまうんですね。

僕らは、外国人が上手に箸を使っているのを見ると、「○○さん、お箸の使い方、うまいですね」と何げなくほめてしまうことがあります。でも、その○○さん（アブラハムさんとします）はものすごく練習して箸の使い方をマスターしたかもしれない。僕たちのなかに〝外国人は箸の使い方が下手〟という前提があるから、「お箸の使い方、うまいですね」とほめている。これは、主語がアブラハムさんではなく、外国人になっているわけですね。

そうではなく、「アブラハムさんは、どうやって箸の使い方を上達されたんですか？」と聞けば、主語はアブラハムさんになります。結果ではなく、プロセスを聞いたほうが、アイデンティティを尊重することにつながるんです。国の文化を尊重することと同様に、個人の文化も尊重することが大切なんです。

僕らだって必死に英語を勉強したにもかかわらず、アメリカで「日本人なのに英語がうまいね！」とだけ言われたら、なんとも言えないモヤモヤが残ると思います。いろんなことを体験していくことで、その人のアイデンティティは進化していくものだと思います。

自分の「個」を磨きながら、相手の「個」も尊重する。

国際交流をするうえで、ぜひ覚えておいてください。

44 好奇心さえあれば、個性はおのずと身につく

アメリカのジャーナリストであるトーマス・フリードマンが書いた『フラット化する世界』（日本経済新聞出版社）という本があります。先ほどスマホやＳＮＳは「武器になる」と伝えましたが、裏を返せば、**誰もが同じ武器を持つことができる**ということでもあります。

フリードマンが書いたこの本は、インターネットが発達することで、世界はフラットになっていくと説明しています。つまり、誰もがインターネットを利用できるのだから、**誰もが世界がどうなっているのかを知ることができ、何が起こっているのかを自分次第でキャッチできる**……公平でフラットな世界になっていくというわけです。

公平でフラットな世界とだけ聞くと、とても素晴らしい世界に聞こえます。だけ

ど、みんなが同じだったら、ちょっとつまらなくないですか?

A君は話が面白い、B君は運動神経がいいという「キャラクター」があるから、一緒になるとデコボコで楽しい。C農家でトマトをつくっているのに、D農家でもトマトをつくったら、同じものをつくっているから、「Cさんのほうが収穫量が多かった」とか「Dさんのほうが収入が多かった」なんて、仲が悪くなってしまう可能性もある。

だから、『フラット化する世界』では、**個性をとにかく磨くことが重要**だと説明しているんですね。

この考え方はとても大事で、僕たちがサバイブしていくうえでとても参考になります。

というのも、日本人は右へならえを好みます。みんながやっているから同じことをする。みんなが頼んだ料理を、自分も注文する。たしかに、安心感があるし、共通の話題を持つこともできるため悪いことではありません。でも、みんなが同じことをするということは、ほかの誰かが自分の代わりにもなるってことですよね。

誰もやらないことを選択するから、目立った存在になれる。みんなが日本語しか話せないのに、1人だけ英語がめちゃくちゃ話せたら、その子はきっとクラスの人気者になると思います。

バングラデシュという国があります。この国は、世界有数の縫製工場と染色加工工場を持つのですが、その背景には、日本をはじめとした衣料メーカーが進出したことが挙げられます。いまではバングラデシュは、中国に次ぐ世界第2位のアパレル大国になりました。

日本の衣料メーカーが、次々とバングラデシュに進出するということは、現地の担当者と話せる話者が必要になります。

バングラデシュでは、英語を話す人もいるにはいるのですが、一般的に話されるのは公用語であるベンガル語です。ところが、日本語とベンガル語を話せる人が少なかった。いまでは、双方の言葉を話せる人も増えましたが、当時はとても少なかった。

それもそのはず、ベンガル語はバングラデシュと、インドの西ベンガル州（とその周辺）でしか扱われない言葉。おまけに日本語は、世界屈指のガラパゴスな言語。こんな2つのレアな言葉を操れる人は、とても貴重な存在です。バングラデシュに進出する企業が、双方を理解する話者に殺到したのは想像に難くないと思います。

誰もやらないことを選択する——。

まさしく、ベンガル語と日本語を操ることができる人は、替えがきかない存在です。僕も、中東に詳しい国際情勢YouTuberとして、書籍を出版したり講演をしたりしています。どうして、そんなことが成立するのか?

ほかの誰もやっていないからです。


どうやったらそんな存在になれるんだろう、そう思うかもしれないけれど、僕は**好奇心が一番大事**だと思っています。

あらかじめ計画性を持って物事を進めることも大事だろうけど、「やってみたいんだ」というダイブするような気持ちがあるかどうか。結果は後からついてきます。後のことを考える時間があるなら、いま胸に抱いているその瞬間を大事にしてください。

僕自身、ドバイをはじめ中東の国に出かけていたときは、「行ってみたい」という好奇心しかなくて、何十年後に国際情勢YouTuberとして活躍しているなんて、夢にも思わなかったです。

もっと言えば、会計事務所時代に、**誰もしたくない仕事をしていたから、結果的に僕はフラット化する世界から尖《とが》ることができた。**

経験は、未来の種です。

好奇心は、いたるところに転がっています。

たとえば世界では、「奨学金留学生」という形で学生を募集しているケースがあります。

一例を挙げると、在クウェート日本国大使館のホームページでは、定期的に「クウェート政府奨学金留学生」の募集案内が掲載されています。1年間の留学プログラムなのですが、その内容は驚きです。なんと、留学生に対して毎月100KD（クウェート・ディナール、2024年5月時点のレートで約5万円）を支給し、さらには授業料、寮の諸費用、寮での食事が無料。渡航費用も無料だと言われています。実質、無料で公的なアラビア語を学べることになります。僕が若かったら、受かるかどうかは別にして、絶対に手を挙げていると思います。

これからアラビア語は、とても重要な言語になっていくことは間違いありません。しかも、アラブ諸国での留学経験という、なかなか人と被らないキャラクターも加わる。クウェートはもちろん、アラブ諸国のことやアラビア語を一生懸命学べば、その留学生は替えがきかない存在として、この後、多くのお金を稼げるエキスパートになっている可能性だってあります。

フラット化していくからこそ、個性が問われる。じゃあ、どうやって個性を磨いていくのか？

何か一歩を踏み出すときは、いつも不安や恐怖が付きまとうと思います。それを払拭できるのは、「それでもやってみたい」という好奇心です。

好奇心が、キミを唯一無二にしてくれるんです。

45

資源のない日本が生き残るためのエネルギー戦略

現在、岸田政権はアメリカのバイデン政権に盲従しているような状況です。

2024年、僕は外務省を辞職した方と会ってお話しする機会があったのですが、その方が辞めたのは次のような理由でした。

「すべての外交政策が米国の顔色をうかがうものばかりで、さまざまな外交アイデアはまったく受け入れられない。親日の国までも敵に回しかねない対米追従外交で、それに異議を唱えようものなら職場での地位が危うくなる。そんな外務省の構造が吐き気がするほど嫌になったから」

僕自身、2024年11月のアメリカ大統領選挙でバイデン大統領が再選したら、その風潮はより加速してしまうと危惧しています。日本は戦争に負けてしまったがために、アメリカには逆らえない――そんなあきらめムードも漂っています。

でも、まだまだやれることはあります。

まずエネルギーを輸入に頼り切っている日本は、自国でエネルギーを生み出すことができる「再エネ化」が必須です。石油や（原発の燃料となる）ウランを海外からすべて輸入しているため、他国にエネルギーを左右されてしまう。この状況を少しでも改善しないといけません。

実は、日本にもエネルギーが存在します。その１つが、アメリカ、インドネシアに次ぐ**世界第3位を誇る地熱資源**です。火山国である日本は、地下に豊富な地熱資源が賦存《ふぞん》していると言われています。

地熱発電はCO_2をほとんど排出しない環境に優しいクリーンなエネルギーであるため、２０５０年カーボンニュートラル実現ともとても相性のいいエネルギーです。

しかも、太陽光パネルと違い、天候に左右されず24時間３６５日の安定した発電が可能。さらには燃料を必要としないため、ランニングコストが低いという点も大きな魅力です。

地熱発電は、地熱が溜《た》まっている層（地熱貯留層）に井戸を掘り、吹き出した蒸気の力でタービンを回すことで発電機を動かし、電力を生み出す仕組みです。実は、日本のメーカーは早くから地熱発電機器の製造技術を確立し、世界における地熱用タービンの約7割は日本製なんですね。


では、どうして日本では導入が遅れているのか？

もっとも大きな理由は、地熱貯留層の多くが国立公園（や国定公園）内にあることで、環境保護の観点から地熱発電所を建設しないことが決められていたからです。

しかし、東日本大震災による福島第一原発事故によって、エネルギーのあり方が見直され、現在は地元の同意を得ることができれば、**国立公園内の約7割にあたる場所で地熱発電所の新設が可能**になりました。世界第3位のポテンシャルを秘めているわけですから、積極的に推進しない手はないですよね。

国立公園内に地熱発電所が建設されることで、景観的観点から「ふさわしくない」という声もありますが、僕はアイデア次第だと思っています。日本同様に、火山大国であるアイスランドは、電力を100%自然エネルギーでまかない、そのうちの20%以上が地熱発電によって生み出されています。

驚くべきは、ヘトリスヘイジ地熱発電所やスヴァルスエインギ地熱発電所は、まるで美術館のような外観をしていて、レストランや温泉（ブルーラグーン）が併設されているという点です。景観に溶け込むように設計され、観光地として確立されているんですね。

日本も地熱貯留層の多くが国立公園のなかにあるわけですから、**アイスランドのように観光資源も兼ね備えた地熱発電所を建設することができる**んです。

地熱資源だけではありません。

日本近海には、**大量のメタンハイドレートが埋蔵されている**と目されています。メタンハイドレートとは、メタンと水が結合した氷状の物質のこと。分かりやすく言えば、ガスと水が結合した物質です。

東部南海トラフには、1・1兆立方メートルぶんが確認されていると言われ、この量は日本の天然ガス消費量の約10年分に相当するそうです。日本近海全体では、一説に12・6兆立方メートルもの埋蔵量があるとも言われているほどです。

2013年と2017年に世界初の海洋産出試験に成功し、2023年度から2027年度の間に商業化プロジェクトの開始を目指す計画があるのですが、問題がないわけではありません。

海の底に沈む層から掘削するため莫大なコストがかかること。さらには、メタンハイドレートから効率的にメタンガスを取り出す技術がまだ十分ではないといった課題があります。そのため実用化にはまだまだ時間がかかりそうです。

ですが、日本にはポテンシャルがあるというだけでも、気持ちが明るくなると思います。

たとえばドイツは、「国内の電力供給をほぼ完全に再生可能エネルギーによってまかなう」と宣言しているものの、現在は石炭を利用してなんとかエネルギーをつくり出している状況です。まるで第一次世界大戦の時代のようなことをしているんですね。日本は世界を驚かせるポテンシャルがあるんです。

46 ものづくり大国・日本の輸出大作戦

自国でエネルギーをつくり出すためには、まだ時間がかかることは間違いありません。

その間、どんなことをすればいいか。**日本の技術を途上国や新興国といったグローバルサウスに広めていく**ことです。

日本の中小企業は、全企業数の99・7%を占めていますが、そのなかには世界が驚くものがたくさんあります。

新潟県燕市《つばめ》にある武田金型《きんがた》製作所が、iPhoneやiPadの金属ケースや金型を手がけたことは有名ですよね。日本には世界に通用する中小企業がたくさん存在する。この力を生かさない手はありません。

と言っても、地方の中小企業が途上国や新興国に赴き、ビジネスを展開するのはハードルが高いと思います。だからこそ、**日本の政府が安全面を含めその橋渡しをして、官民連携で推進していく**必要があります。

僕がイラクへ行ったとき、建設現場を訪れると建材の貼り付けを含め、とても危うい建て方をしていました。イラク戦争後ということもあり、街中で復興作業が行われていたのですが、コンクリートもデコボコで、日本のようにきれいな壁面になっていないんです。

僕が、「左官屋さんはいないんですか？」と聞くと、イラクには教える人がいないと嘆いていました。「日本には高い技術があるから教えてほしい」と何度も言われたことを覚えています。

また、イラクのスレイマニヤという街を訪れていたときには、「イラクの上場企業の社長が来るから会ってくれないか」と相談されました。

その社長は遠く離れた首都・バグダッドから車に乗って20時間ほどかけて、僕に会いに来てくれました。距離にすると東京〜大阪間くらいなのですが、道路がまったく舗装されていない悪路のなか、僕に会うためだけに車を走らせ、会いに来てく

れたんです。

実際にお会いすると、驚きました。その社長は、車イスに乗っている年配の女性だったんです。

彼女は、車イスをつくっている会社を経営していて、戦後間もないイラクでは、車イスや義足などの需要が高いと話してくれました。「自分たちだけでは十分な車イスをつくることができないから、日本の会社と技術提携をしたい」。

彼女は、日本の金属加工系の会社を調べて、ホームページに記載されているメールアドレス経由でコンタクトを試みたそうです。しかし、50通（50社）以上送ったのに、ぜんぜん連絡が来ない……

だから、悪路のなか、わざわざ僕に会いに来て、「日本に伝えてほしい」と言葉を残したんです。

日本に戻って、知り合いを通じて可能な限り伝えましたが、戦後間もないイラクに行きたがる企業はありませんでした。仕方ないですよね。誰だって、イラク戦争の映像を見たら、二の足を踏むと思います。**こうしたときに必要なのが、自治体や政府の力**です。

僕は民間外交をしているけれど、どうしても限界があると思う瞬間も、たくさん感じてきました。でも、これからを生きる人たちのなかに、同じ志の人が増えてくれたら、きっと僕たち日本は変わることができると思っています。

日本は、ものづくりの国として世界的な認知度があります。

もちろん、安心・安全を保証したうえでの話ですが、僕たちが当たり前だと思っている日本の技術を求めている場所が世界のいたるところでたくさんあります。

医師にもかかわらず、アフガニスタンで用水路をつくり上げた故・中村哲《てつ》さん

（パキスタンやアフガニスタンで医療活動に従事したが、2019年に武装勢力に銃撃されて死去した）は、現地では英雄です。

僕の友人がドバイへ行き、旧市街地のなかにあるアクセサリー店を訪れたときのこと。店主がアフガニスタン出身の方だったそうで、僕の友人が日本人だと分かると、「テツ・ナカムラを知っているか？」と聞いてきたそうです。友人が、「もちろん知っている。あなたの国では英雄のような人ですよね。僕たちも彼が行ったことに誇りを持っている」と伝えると、雰囲気がガラッと変わったと笑って話してくれました。

どんなに小さなことでも、こうした瞬間が増えたら、僕たち日本の信用は上がる。第三世界では、まだまだ日本の技術が求められています。車や家電の分野では、現在は中国や韓国の後塵《こうじん》を拝している感が否めません。ですが、インフラ事業や職人技と言われるような分野、かゆいところに手が届くような分野は、十分、勝機があります。

日本は決してオワコンなんかではありません。

47 アイデア次第で日本はもっとよくなる！

・島国である
・火山が多く火山活動が活発である
・地震が頻発する
・温泉地が多数存在する
・暖流と寒流が交わるいい漁場がある
・オリジナルの言語を持つ
・治安がいい

これらのフレーズを見て、皆さんはどこの国を想像するでしょう？
「日本」。そう答えた方、正解です。
ですが、もう1つ該当する国があります。それが**アイスランド**です。

日本とアイスランドは地理的条件など似ていることが多いです。

その一方で、まったく異なることがあります。

それが「考え方」です。


2008年に、世界的な金融危機と景気後退を招いたリーマンショックが起きたとき、そのあおりを真っ先に受けた国がアイスランドでした。

アイスランドは小さな国なので金融立国を目指していました。高金利に設定することで世界中からたくさん預金を集め、それを運用して利益を出し、預金者に還元するといったことをしていたわけです。

アイスランドのメガバンクは、高い利回りの金融商品に投資をしていたのですが、それがサブプライム証券でした。後に、サブプライムローン債務不履行が相次ぎ、これらの証券の価値が暴落。金融危機の大きな要因となる証券です。

リーマンショックが起きたことで、アイスランドのメガバンクは国有管理下になり、通貨・クローナは大暴落しました。僕は、アイスランドの証券会社で働いていたアイスランド人の友人が心配になって、メールを送りました。彼の返事はこうです。

「会社はクビになったけど、ぜんぜん大丈夫！　なぜなら、俺たちはどうやったって生きていけるから」

立派なサーモンを釣り上げた写真つきでメールが返ってきました。彼は写真のなかで、満足そうに笑っていました。

同じことが日本で起きたら、絶望して自ら死を選ぶ人がたくさんいるんじゃないかと邪推してしまいます。でも、アイスランド人は、**恵まれた自然があるから、「明るく楽しく生きていける」、そう考えている**んです。

Do It yourself.

ＤＩＹができるから悲観なんてしないと話すんですね。

僕たち日本人は、アイスランドととても近い環境、条件を持っています。考え方次第で、光が当たる方向は変えられるんです。

現在、日本全国には１７１８市町村が存在します。地産地消ではないけれど、地域の食材を使って個性を出そうという試みが数多く展開されています。そのなかで、ご当地ラーメンをうたう市町村がたくさんあると思うのですが、ラーメンをつくる際の材料の自給率は13％だと言われています。基本的に小麦は輸入、飼料は外国産、国産は豚肉やネギ、もやしくらい。そのため自給率は低くなる。

でも、国産そば粉を使う天ぷらそばになると20％に上がります。そして、カレーライスになるとお米が国産、さらに野菜も国産のものになるので40％まで上がると言います。

どうＤＩＹするかで、かかるコストは変わるんです。**アイデア次第で生存確率は変わる。**

日本は海に囲まれ、豊かな山に恵まれています。都会的な生活を望まないなら、アイスランド人のように自分次第でいかようにでもなる国に住んでいます。国ガチャで言えば、最高ランクの「Ｓ」に該当する奇跡です。せっかく戦える装備をしている（そして失ってもなんとかなる）のに、物陰に隠れて、何もしないなんてもったいないんです。

戦争が起きたとき、「アメリカは守ってくれない」などと言われていますよね。あくまで〝たられば〟の話〟として考えてほしいのですが、外交の際、アメリカから「俺たちが守らなくていいのか？　守ってほしければ武器を買え」と切り出されたら、「どうぞお引き取りください」と言えばいいんです。

「その代わり、同盟を破棄してロシアや中国と手を組ませていただきます」と言ったら、アメリカはどんな反応をするんでしょうか？

むしろ、米軍基地があることで攻撃されるかもしれないわけですから、撤退してもらったほうが好都合かもしれません。もちろん、そんな胆力が日本にあるとは思っていませんが、あくまでフィクションの話ですから。

第1章で地政学について触れました。日本はアメリカにとって盾のような地理的環境にあります。仮に、アメリカがロシアや中国と戦争をするようなことが起きれば、米軍の戦闘機は日本の基地から飛び立っていきます。ということは、日本が親アメリカでなくなることは、ロシアや中国にとっては好都合に映るわけです。

日本は、どちら側からも求められる地理的環境を有しているとも考えられる。世界の軸が変わろうとしているいま、日本はまだ選択できる立場にあるんです。

ただし、日本という国に信用があって、魅力的なカードがないと、ただの八方美人で終わってしまいます。そうならないために、本章で綴《つづ》ってきたようなことを、僕たち日本はやっていかないといけません。正しく国際情勢を把握し、世の中の潮流を読み間違えずに世界を知る。ＤＩＹで、生き残るためのロジックをつくり上げていくんです。

僕はこれまでいろいろな国を訪れてきましたが、その多くが世の中的にはマイナーと位置づけられる国ばかりです。

どうしてそんな国を優先して訪れていたか。

それは、いろいろな可能性が眠っていて、フラット化する世界から飛び出せると思ったからです。

時代が下って、かつてマイナーと呼ばれていた国は、いまや世界の主役に躍り出ようとしています。面白い国はパワーが満ち溢《あふ》れています。ですから、この本を読んでいる皆さんも、「面白そう」とか「アツい！」といった単純な動機で構いません。

飛び出してみてください。

この本を書いている途中、担当編集者のKさんから、「石田さんはこれまでいろいろな国を訪問してますが、海外に移住をしようと思ったことはなかったんですか?」と尋ねられました。

振り返れば、「アゼルバイジャンに住まないか」なんて誘ってもらったこともありました。住もうと思えば、短期間かもしれないけれど、住むことができたと思います。

でも、僕は日本から発信することを選びました。その理由はたった1つ。**日本が好きだから**です。

いろいろな国に行ったからこそ、日本の素晴らしさを痛感するんです。優しいし、ご飯もおいしくて、治安もいい。自分の息子を育てることも考えると、教育だって行き届いている。

その素晴らしさが失われるかもしれないという岐路に、僕たち日本は立っている。

僕はYouTubeや講演、書籍のなかでいろいろなメッセージを発信していますが、

「日本を脱出しよう」なんて言葉は一度も使ったことがありません。

僕が伝えたいことは「脱日本」ではありません。一貫して、**日本として戦っていこう**ということです。

海外に行っても、日本人として対峙《たいじ》していくことです。染まってしまえば中途半端になるだけです。自分のアイデンティティを進化させるという気持ちで世界と向き合っていく――。

その気持ちがあれば、10年後、僕たち日本は生き残れる。

おわりに

最後まで本書をお読みいただき、ありがとうございます。

この本を読み終えた後に、僕たちがすることは何か？
そう、動くことです。
誰かに依存せず、企業に依存せず、そして国家に依存せず、インディペンデントに向けて、いますぐ動くことです。

世界は大きな分岐点にあります。ソーシャルメディアの拡大により、これまで隠されてきた都合の悪いことが徐々にあらわになってきています。特にウクライナ戦争、パンデミック、イスラエル・ハマス戦争という、3つの大きな出来事によって、西側諸国の嘘は次々と暴かれています。

全米ナンバーワンのジャーナリストであるタッカー・カールソンは、プーチン大統領へのインタビューのためモスクワへ向かう直前に、自身のXでこう言いました。

「私たちはこれまで西側諸国のマスコミによって、すべて嘘偽りで塗り潰されてきた」

トランプ前大統領やイーロン・マスク、プーチン大統領など、愛国心あるリーダーたちは皆、同様のことを発信しています。そして、いま世界の多くの人たちはそれに気づき始め、国民運動へと移り変わっています。

一方で、グローバルサウスやBRICSといった新たな経済圏が構築され、それは磁力のように世界の多くの国々を引きつけてもいます。僕のYouTubeチャンネル「越境3・0チャンネル」は、そんな世界の潮流の変化を皆さんにほぼ毎日お伝えしています。

ときに、日本のマスコミよりも何カ月も早く配信したり、マスコミと真逆の内容を配信したりしているのは、日本のマスコミは偏向報道や隠蔽などが少なくないからです。

たとえば2023年10月7日にマスコミが一斉に報道したイスラエル・ハマス戦争。僕は、2022年12月に第6次ネタニヤフ内閣が組閣された直後に、「この内閣はヤバい」ということを伝えてきました。

また、さらに翌月、その内閣から発表された新たな軍事教義「オクトパスドクトリン」も幾度となく動画で解説してきました。オクトパスドクトリンとはタコの頭、いわゆるイランの心臓部を狙うという破壊的な軍事教義です。

その内閣には3人の過激派シオニストがいます。そのため、いまの内閣が続く限り、イスラエルは近い将来必ず大きな戦争を引き起こすであろうことを動画で話してきました。

しかし、日本のマスコミは、いっさいこれらのことを伝えてきませんでした。10月7日以前の部分は、すべて切り取られて報道されています。

これら1つひとつのニュースは、日本にとっても重要な出来事です。もしも本当に中東で大きな戦争が起きたら、チョークポイント（交易や軍事のうえで重要な海上水路）と言われるホルムズ海峡やバブ・エル・マンデブ海峡、スエズ運河は機能しなくなり、これらの海峡を通って日本に運ばれてくる石油や食料は止まってしまうことが予想されます。

日本は、石油の95・2％をサウジアラビアやアラブ首長国連邦（UAE）などの中東アラブ諸国に依存しています。ですが、10月7日以降、日本政府はイスラエル支持を表明し、いまもそのスタンスに大きな変化はありません。

また、2024年6月、マレーシアがBRICSへの加盟申請を発表しました。これによって、石油を支配する新セブン・シスターズはすべてBRICSになります。

こうした背景には、東南アジアで初めてタイがBRICSへ加盟するというニュースが報じられたのも大きいでしょう。タイや中国と協力関係を推し進めているマレーシアは、BRICSに加盟すれば、近い将来、世界の石油支配構造が激変すると予測を立てたのだと思います。

タイやマレーシアもBRICSを選んだ。ドル崩壊は、僕らの想像よりも早く訪れるかもしれません。

日本はアメリカにべったりです。ドルに大きく依存している日本は、アメリカとともに沈むかもしれない。動画のなかで話す僕の発言は、決して予想でも予言でもなく、国際情勢のニュースの点と点をつないでいくことで次の展開がはじき出される、言わば方程式のようなものです。世界の潮流を見るには、こういった見方がとても重要になってきます。

世界の潮流が大きく変わりつつあるのに、日本政府はいまだに真実を隠し、都合の悪いものには蓋をして、なかなか変わろうとはしません。本書を手に取った方々、そして「越境3・0チャンネル」を普段からご覧になられている方々は、そんな日本の衰退や世界の変化にとっくのとうに気づいていると思います。

「これから世界はどう変わっていき、我々はどう動くべきか?」

自分と家族と仲間たちを守るために、僕たちは真剣に考えていく必要があります。人と人とのつながり方も変わり、仕事のやり方や学び方も変わる。当たり前のものが当たり前でなくなり、これまでの常識は一切通用しなくなる。

世界は我々の想像をはるかに超えるスピードで変化しています。そこから半ば振り落とされ、世界のなかで急速に貧困化へ向かう日本人は、その変化に気づいても何も言えず何もできず、まるで茹でガエルのようになり、日本は衰退していく——。

これは日本がそうならないように、阻止するための本です。特に若い世代とその親御さんに読んでほしいとの願いを込めて書きました。本書の冒頭でも伝えましたが、僕の息子は13歳になります。そして10年後、彼は23歳。立派な社会人となり、日本にも自分にも誇りを持てる大人になっていることを期待します。

そのとき、日本はどうなっているか？

世界はどうなっているか？

明るく楽しく、光の射すほうへ未来をひらく日本でありたいものです。そして、未来を切り拓きインディペンデントできる1人の人間になるために、想像力をフル回転させながら赤線ビシバシ入れながら読んでほしい。そんな想いと魂を込めて、父から愛する我が子に宛てて書いた渾身《こんしん》の一冊です。

あなたは動きますか？

動きませんか？

動いた先の明るい未来をみんなでつくりましょう。「越境3・0チャンネル」はそんな想いを込めながら、これからも皆さんに向けて動画を配信し続けます。

そして僕も動きます。


「さぁ、光の射すほうへ」

2024年6月

石田和靖（越境3・0チャンネル）

ブックデザイン　山之口正和＋永井里実＋齋藤友貴（OKIKATA）
カバーイラスト　ゆの
本文イラスト　齋藤光
編集協力　我妻弘崇
DTP　思机舎
校正　山崎春江
編集　金子拓也

石田和靖（いしだ・かずやす）

1971年、東京都生まれ。東京経済大学中退後、会計事務所に勤務。中東・東南アジアエリアの法人を多く担当し、駐日外国人経営者への財務コンサルティングを行う。現在は、YouTube「越境3.0チャンネル」で最新の国際情勢を発信、登録者数は23万人を超す（2024年6月現在）。著書に『第三世界の主役「中東」』（ブックダム）、『越境せよ!』（講談社）など多数。そのほか、グローバル・多様性・行動力などをテーマに講演を多数行っている。

10年後《ねんご》、僕《ぼく》たち日本《にほん》は生《い》き残《のこ》れるか

未来《みらい》をひらく「13歳《さい》からの国際情勢《こくさいじょうせい》」

2024年7月31日　初版発行
2024年10月20日　3版発行

著者／石田和靖《いしだかずやす》

発行者／山下 直久

発行／株式会社KADOKAWA
〒102-8177　東京都千代田区富士見2-13-3
電話　0570-002-301（ナビダイヤル）

印刷所／TOPPANクロレ株式会社
製本所／TOPPANクロレ株式会社

●お問い合わせ
https://www.kadokawa.co.jp/（「お問い合わせ」へお進みください）
※内容によっては、お答えできない場合があります。
※サポートは日本国内のみとさせていただきます。
※Japanese text only

定価はカバーに表示してあります。

ISBN 978-4-04-606921-4　C0030